BANDITEN-PAPA

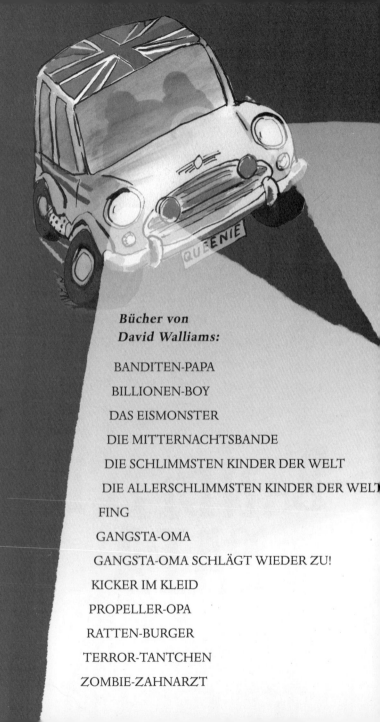

Bücher von
David Walliams:

David Walliams

BANDITEN-PAPA

Aus dem Englischen von Christiane Steen

Illustriert von Tony Ross

Rotfuchs

Die englische Originalausgabe erschien 2017 unter dem
Titel «Bad Dad» bei HarperCollins Children's Books, London
Copyright © 2017 by David Walliams
Cover-Lettering des Autorennamens Copyright © 2017
by Quentin Blake
David Walliams und Tony Ross sind als Autor und
Illustrator dieses Buches urheberrechtlich geschützt

2. Auflage März 2023
Veröffentlicht im Rowohlt Taschenbuch Verlag,
Hamburg, Juni 2022
Copyright © 2019 by Rowohlt Verlag GmbH, Hamburg
Covergestaltung any.way, Barbara Hanke / Cordula Schmidt,
nach dem Original von HarperCollins Publishers 2017
Coverabbildung Tony Ross 2017
Satz Konstantin Kleinwächter und CPI books GmbH, Leck
Druck und Bindung CPI books GmbH, Leck
ISBN 978-3-499-00135-2

Die Rowohlt Verlage haben sich zu einer nachhaltigen Buch-
produktion verpflichtet. Gemeinsam mit unseren Partnern
und Lieferanten setzen wir uns für eine klimaneutrale Buch-
produktion ein, die den Erwerb von Klimazertifikaten zur
Kompensation des CO_2-Ausstoßes einschließt.
www.klimaneutralerverlag.de

MIX
Papier | Fördert
gute Waldnutzung
FSC
www.fsc.org
FSC® C083411

DANKESCHÖNS

ICH BEDANKE MICH BEI:

MEINER VERLEGERIN

AJ

ANN-JANINE MURTAGH

MEINEM IL-LU-STRA-TOR

TONY ROSS

GR...

CHARLIE REDMAYNE

MEINEM AGENTEN

PAUL STEVENS

MEINER LEKTORIN

ALICE BLACKER

VERLAGSLEITERIN

Kate Burns

REDAKTEURIN

SAMANTHA STEWART

KREATIVDIREKTORIN
VAL BRATHWAITE

HERSTELLERIN
ELORINE GRANT

COVERDESIGNERIN
KATE CLARKE

MARKETING- UND PR-LEITERIN
GERALDINE STROUD

HÖRBUCHREDAKTEURIN
TANYA HOUGHAM

PROGRAMMLEITERIN
RACHEL DENWOOD

David Walliams

Papas gibt es in allen Formen und Größen. Es gibt **DICKE** und **dünne**, große und kleine Papas. Es gibt *junge* und **alte**, kluge und **DUMME** Papas.

Es gibt **alberne** und **ernste**, **LAUTE**
und ᴌᴇɪꜱᴇ Papas.
Und natürlich gibt es **gute** Papas und …

Banditen-Papas.

Dies ist die Geschichte
von einem Papa und seinem Sohn.

Frank
ist der Sohn.

Papa ist der Papa.
Sein Name ist
Gilbert.

Das ist **Rita**,
Franks Mum.

Tante Flip ist Papas Tante.
Manchmal passt sie auf Frank auf.

Mr. Big ist ein besonders kleiner Verbrecherboss. Er trägt zu jeder Tageszeit einen seidenen Schlafanzug und einen Morgenmantel sowie Samtpantoffeln, die mit «Mr. B» bestickt wurden.

Mr. Big hat zwei Gehilfen namens Finger und Däumling.

Finger heißt so wegen seiner langen, dünnen Finger, mit denen er anderen Leuten sehr gut das Portemonnaie aus der Tasche ziehen kann.

Däumling hat riesige Daumen, mit denen er den Feinden von Mr. Big ziemlich weh tun kann.

Willi und **Bär**
sind Däumlings grässliche Neffen.

Chang
ist Mr. Bigs
fieser Butler.

Pastorin Judith ist Pastorin.

Oberwachtmeister Spötter
ist der Polizist des Ortes.

Mr. Glubsch ist der ein-
äugige Gefängniswärter.

Richter Eisern hat ein Herz
aus Stein, so sagt man.

Raj ist ein
Kioskbesitzer.

Dies ist eine Karte der Stadt.

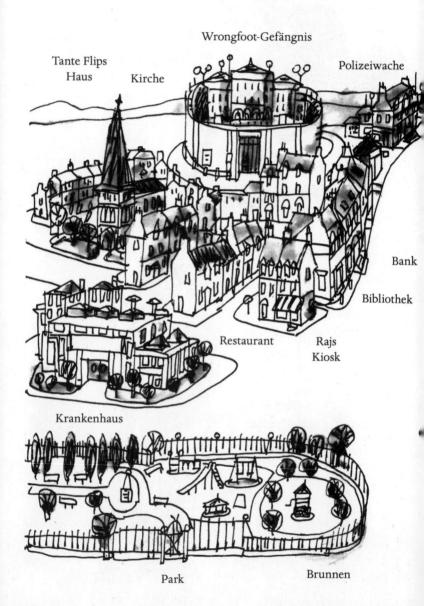

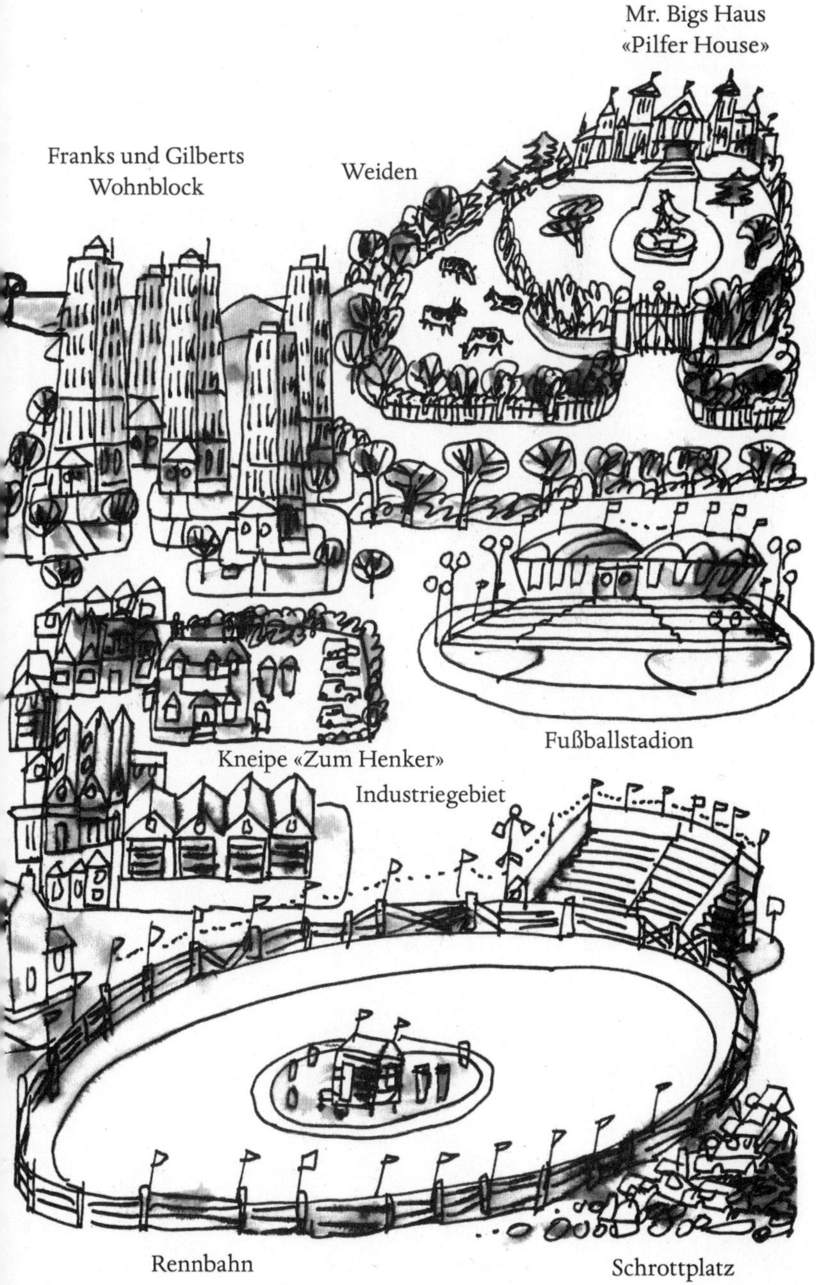

Mr. Bigs Haus
«Pilfer House»

Franks und Gilberts
Wohnblock

Weiden

Kneipe «Zum Henker»

Industriegebiet

Fußballstadion

Rennbahn

Schrottplatz

KAPITEL

WROOOAAM!

WROOOAAM!, machte Papas Auto, als es über die Sandstrecke preschte. Franks Vater war Rennfahrer für Stockcars. Das war ein gefährlicher Sport. Die Autos *krachten* ineinander …

BAMM!

KRAWUMM!

KNIRSCH!

… während sie **immer** im Kreis herumrasten.

Papa steuerte einen alten Mini, den er selbst aufgemotzt hatte. Er hatte die englische Fahne auf das Auto gemalt und es «*QUEENIE*» getauft, weil er ein großer Fan der englischen Königin war. Das Auto war ebenso berühmt wie Papa. *QUEENIES*

Motorengeräusch war unverwechselbar, denn es klang wie das Brüllen eines Löwen.

WROOOAAM!

Papa war der ***König der Fahrbahn***. Er war der beste Stockcar-Fahrer, den die Stadt je gesehen hatte. Die Leute reisten aus dem ganzen Land herbei, um ihn fahren zu sehen. Niemand gewann öfter Rennen als er. Woche für Woche, Monat für Monat, Jahr für Jahr hielt Papa die Pokale in die Höhe, und die Menge jubelte und schrie seinen Namen:

«GILBERT DER GROSSE!»

«GILBERT DER GROSSE!»

«GILBERT DER GROSSE!»

Das Leben war wunder-voll. Weil Papa ein Held war, war er überall willkommen. Wenn er mit seinem Sohn Frank ins Restaurant ging, dann füllte ihm der Wirt die doppelte Portion auf den Teller und wollte noch nicht mal Geld von ihm. Wenn Frank mit seinem Vater die Straße herunterging, dann hupten die Leute in den vorbeifahrenden Autos …

HUUP! HUUP!

… und lächelten und winkten. Frank war jedes Mal furchtbar stolz auf seinen Papa. Und er bekam sogar bessere Noten in Mathe, nachdem sein Lehrer beim Elternabend mit Papa ein Foto machen durfte.

Frank war Papas **größter Fan**. Er himmelte ihn an. Papa war sein Held. Frank wollte unbedingt später ein genauso berühmter Rennfahrer werden wie er. Er träumte sogar davon, eines Tages *QUEENIE* zu fahren.

Wie man sich denken kann, sahen Vater und Sohn sich sehr ähnlich. Sie waren beide klein und rundlich und hatten abstehende Ohren. Frank sah aus wie eine geschrumpfte Ausgabe seines Vaters. Er wusste, dass er niemals der Größte oder der Hübscheste oder der **Stärkste** oder der Schlaueste oder der **Lustigste** in der Klasse sein würde. Aber er hatte erlebt, welche *Wunder* sein Vater durch sein Können und seinen Mut auf der Rennbahn vollbringen konnte. Und das wollte er auch erleben.

Papa erlaubte Frank nicht, bei den Rennen zuzuschauen. Das Rennen begann am Abend mit zwanzig Autos, die die Sandbahn entlangpreschten, doch am Ende blieb immer nur noch ein einziges Auto übrig. Die Fahrer wurden bei den Zusammenstößen oft schwer verletzt, und manchmal verletzten sich sogar die Zuschauer, weil die Autos in die Ränge rasten.

«Das ist zu gefährlich, Kumpel», sagte Papa. Gilbert nannte seinen Sohn immer «Kumpel». Sie

waren zwar Vater und Sohn, aber sie waren auch
die besten Freunde.

«Aber Papa ...», bettelte Frank, wenn sein Vater
ihn abends zudeckte.

«Kein Aber, Kumpel. Ich möchte nicht, dass du
dabei bist, falls ich verletzt werde.»

«Aber du bist der Beste! Du wirst niemals verletzt!»

«Kein Aber, habe ich gesagt. Jetzt sei ein braver Junge. Gib mir einen *Knuddler**, und dann schlaf schön.»

Papa küsste seinen Sohn immer auf die Stirn, bevor er zur Arbeit auf die Rennbahn ging. Frank schloss dann die Augen und tat so, als würde er schlafen. Doch sobald er hörte, wie die Tür zufiel, **kroch** er aus dem Bett und **schlich** den Flur hinab bis zur Haustür, damit seine Mutter ihn nicht hörte. Sie schloss sich allerdings immer in ihrem Schlafzimmer ein und telefonierte im Flüsterton, sobald ihr Mann aus dem Haus war. Dann lief Frank im Schlafanzug den ganzen Weg bis zur Rennbahn.

Direkt vor dem Stadion befand sich ein riesiger Turm aus ROSTIGEN alten Autos, die bei vorigen Rennen ineinandergefahren waren. Diesen Turm kletterte Frank hinauf. Von dort hatte er den besten Blick auf das Rennen. Er saß dann im Schneidersitz auf dem Dach des obersten Autos und sah all die Stockcars vorbeirasen. Jedes Mal, wenn *QUEENIE* vorbeischoss und der Motor dabei laut *aufbrüllte*, jubelte der Junge:

---

* «Knuddler» nannten die beiden ihre besondere Umarmung. Es war eine Mischung aus Knutscher und Knuddeln, daher der Name.

Papa ahnte nicht, dass sein Sohn dort oben saß.
Er wollte nicht, dass Frank beim Rennen zusah,
denn er fürchtete immer, dass das Schlimmste passierte.

Und eines Nachts passierte es wirklich.

KAPITEL 2

AUSSER KONTROLLE

Am Abend des Unfalls schien an Papas Auto irgendetwas von Anfang an nicht zu stimmen. Anstatt zu brüllen wie sonst, gab der Mini ein kreischendes Geräusch von sich, als würde er gleich explodieren.

Sobald Papa **QUEENIE** an der Startlinie in Position gebracht hatte, bockte das Auto wie ein **buckelnder Stier.**

An diesem schicksalhaften Abend saß Frank wie immer oben auf dem Autostapel vor dem Stadion. Es war tiefster Winter, und Wind und Regen wirbelten um ihn herum. Aber auch wenn er bis auf die Haut durchnässt war, wollte Frank niemals ein Rennen verpassen.

Doch irgendwas stimmte nicht an diesem Abend. **Ganz und gar nicht.**

Sobald die Flagge den Start des Rennens anzeigte, musste Papa sich richtig anstrengen, um die Kontrolle über sein Auto zu behalten.

Das Brüllen des Minis war nicht zu hören, sondern nur dieses kreischende Geräusch. Ein ängstliches Schweigen senkte sich über die Zuschauermenge. Frank wurde übel.

Plötzlich schoss hinten aus *QUEENIES* Auspuffrohr eine riesige Explosion hervor.

KRAWUMM!

«PAPA!», schrie Frank. Doch über die Entfernung und bei all den Motorengeräuschen der anderen Autos konnte Papa seinen Sohn nicht hören. Frank wollte unbedingt helfen, irgendetwas tun, aber er konnte das Geschehen nicht aufhalten.

Der Mini wurde immer schneller und ließ sich nicht mehr bremsen.

Er war außer Kontrolle.

ZOOM!

Die Kunst beim Rennfahren besteht darin zu wissen, wann man die Geschwindigkeit erhöhen oder drosseln muss. Papa nahm die Kurven jetzt schon viel zu schnell – das machte ein Champion-Stockcar-Fahrer einfach nicht. Franks Herz klopfte in seiner Brust. **QUEENIES** Bremsen mussten kaputt sein! Aber wieso? Papa überprüfte sein Auto vor jedem Rennen mehrmals gründlich.

Plötzlich *schlingerte* **QUEENIE** scharf, um einen Frontalzusammenstoß mit einem Ford Capri zu

vermeiden. Doch der Mini fuhr viel zu schnell, und
beim Ausweichmanöver überschlug er sich

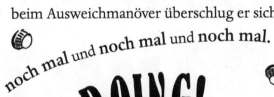

noch mal und noch mal und noch mal.

BOING!
BOING!
BOING!

Schließlich lag Papas Auto falsch herum mitten auf der Rennstrecke. Der nachfolgende Jaguar krachte in den Mini und schleuderte ihn durch die Luft. **Das Auto knallte wieder auf den Boden ...**

BÄNG!

... und zerbrach in seine Einzelteile.

«NEIN, PAPA, NEIN!», schrie Frank von seinem Turm herab.

Unten auf der Rennstrecke fuhren die Autos ineinander.

DOING!

BÄMM!

KRACH!

Metall knallte auf Metall, und Glas splitterte.

KAWUUMM!

Eines der Autos explodierte in einem Feuerball.

«NEEEEIIIINN!», schrie Frank.

Hastig kletterte er den Turm hinunter und rannte durch die Menschenmenge zum Auto seines Vaters. Ein Krankenhaushubschrauber knatterte bereits über der Unfallszene und landete schließlich daneben. Frank hielt seinem Vater im Wrack die Hand, während die Feuerwehrmänner ihn aus dem Fahrzeug schnitten.

«Was machst du denn hier, Kumpel?», flüsterte Papa. «Du solltest zu Hause im Bett sein.»

«Tut mir leid, Papa», antwortete Frank.

«Ich werde einen *Riesenknuddler* brauchen, wenn ich hier raus bin.»

«Alles wird gut, Papa. Das *verspreche* ich.»

Aber es war ein *Versprechen*, das Frank nicht halten konnte.

WELCHES BEIN?

TATÜ-TATAA! TATÜ-TATAA!

Frank hielt seinem Vater die Hand, während sie zum Krankenhaus rasten. Gilberts rechtes Bein war beim Unfall total zerquetscht worden, und er verlor eine Menge Blut.

«Mr. Goodie», sagte der Arzt, sobald Papa in die Notaufnahme gebracht worden war, «ich habe sehr schlechte Nachrichten für Sie. Wir müssen Ihnen das Bein amputieren.»

«Welches Bein?», antwortete Papa, der trotz allem seinen Humor noch nicht verloren hatte.

«Das rechte, natürlich. Wenn wir nicht sofort operieren, werden Sie vermutlich sterben.»

«Ich will nicht, dass du stirbst, Papa!», sagte Frank.

«Ist schon gut, Kumpel. Ich bin ziemlich gut im Hüpfen.»

Während Papa in den OP gebracht wurde, versuchte Frank immer wieder, seine Mutter anzurufen, doch es war stundenlang besetzt. Die Operation dauerte die ganze Nacht. Frank lief im Wartebereich auf und ab und konnte nicht schlafen. Als sein Vater am Morgen endlich aus der Narko-
se erwachte und die
Augen aufschlug,
sah er als Erstes sei-
nen Sohn.

«Kumpel, du bist der Beste», flüsterte Papa. Er hatte offensichtlich große Schmerzen.

«Ich bin ja so froh, dass du es geschafft hast, Papa», antwortete Frank.

«Natürlich. Ich will doch dabei sein, wenn du groß wirst. Wo ist deine Mutter?»

«Ich weiß es nicht, Papa. Ich habe die ganze Nacht versucht, sie anzurufen, aber es war immer besetzt.»

«Sie wird schon kommen.»

Aber es vergingen noch Stunden, bis sie endlich kam.

«Oh, Gilbert!», rief Franks Mum bei Papas Anblick, und dann brach sie in Tränen aus.

Das Familientreffen war jedoch nur kurz, denn sie verabschiedete sich schnell wieder. Gilbert musste monatelang im Krankenhaus bleiben, doch die Besuche seiner Frau wurden seltener und seltener und fielen immer kürzer aus. Die Schwestern bauten jedoch für Frank ein Klappbett auf, und dort schlief er jede Nacht an der Seite seines Vaters.

Eines Tages brachten die Ärzte ein Holzbein für Gilbert. Es passte perfekt. Innerhalb weniger Tage lernte er, damit zu laufen, und bestand darauf, den

ganzen Weg vom Krankenhaus bis zu ihrem Wohnblock zu Fuß zu gehen.

«Ich kann immer noch alles tun!», sagte Papa stolz.

Er humpelte zwar, und Frank hielt den ganzen Weg über seine Hand, doch schließlich kamen sie zu Hause an.

Als sie in ihre Wohnung kamen, war Mum nicht da. Sie hatte einen Zettel auf den Küchentisch gelegt. Darauf stand:

An Frank und Gilbert, es tut mir leid. Rita.

KAPITEL

4

FIESE MÄNNER

Was soll das bedeuten, Papa?», fragte Frank. «Was tut ihr leid?»

«Dass sie uns verlassen hat.»

«Kommt sie denn nicht wieder?»

«Nein.»

«Warum nicht?»

«Weil deine Mum jetzt mit einem kleinen Mann in einem großen Haus lebt.»

«Aber …!»

«Es tut mir leid, Frank. Ich habe mein Bestes gegeben. Aber mein Bestes war für sie wohl nicht gut genug.»

«Das tut mir leid, Papa.»

«Ich brauche einen *Knuddler*.»

«Ich auch.»

Vater und Sohn nahmen sich gegenseitig in den Arm und hielten sich fest, und dann **weinten** und **weinten** sie, bis sie nicht mehr konnten.

Papa sprach auch in Zukunft niemals schlecht über seine Frau – die nun seine Exfrau war –, doch Frank war tieftraurig darüber, dass seine Mutter sich nicht einmal von ihm verabschiedet hatte.

Auch wenn sie jetzt in einem **riesigen** Haus lebte, lud Mum ihn niemals zu sich ein. Nicht ein einziges Mal. Als sie Franks Geburtstag zum zweiten Mal hintereinander vergaß, hatte Frank ebenfalls keine Lust mehr, seine Mutter zu sehen. Wochen und Monate vergingen, ohne dass sie miteinander sprachen, und dann wurde es immer schwieriger, sie auch nur anzurufen. **Also tat er es nicht.**

Frank hörte jedoch niemals auf, an sie zu denken. Es war seltsam, denn auch wenn seine Mutter ihn so verletzt hatte, **liebte er sie trotzdem noch**.

Papa verlor nach dem Unfall alles. Nicht nur sein Bein, sondern auch seine Frau. Und schon bald sollte er noch etwas verlieren, was ihm lieb war:

seinen Job.

Gilbert war mit Leib und Seele Stockcar-Fahrer. Schon als Junge hatte er davon geträumt. Doch wie sehr er auch bettelte, die Besitzer der Rennbahn wollten ihm nicht erlauben, jemals wieder Rennen zu fahren. Sie machten ihn für den Unfall verantwortlich. Außerdem sagten sie, dass er mit nur einem Bein nicht mehr Auto fahren könne.

Also versuchte Papa, einen anderen Job zu finden, irgendeinen Job. Doch in der Stadt gab es nicht viele freie Stellen, und niemand wollte einen Mann mit Holzbein einstellen.

Papa war daran gewöhnt, ein **Held** zu sein, doch nun fühlte er sich wie eine **Null**.

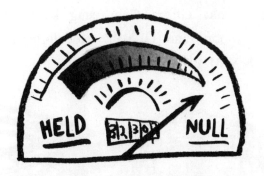

Zwei kalte Weihnachten kamen und gingen. Mit der Zeit machte Frank sich immer mehr Sorgen um seinen Vater. Manchmal saß Papa einfach nur in seinem Sessel und starrte vor sich hin. Und oft verließ er tagelang nicht die Wohnung.

Niemand hupte mehr, wenn die beiden die Straße entlanggingen, und jetzt konnten sie es sich auch nicht mehr leisten, ins **RESTAURANT** zu gehen, wo sie auch bestimmt keine doppelten Portionen mehr bekommen hätten.

An Franks elftem Geburtstag kaufte Papa seinem Sohn eine riesige Modell-Rennbahn. **Frank war glücklich.**

Es war das allerbeste Geschenk der Welt. Papa hatte sogar die englische Flagge auf einen der Mini-Rennwagen gemalt, sodass er genauso aussah wie **QUEENIE**. Sie ließen die Autos stundenlang herumrasen und spielten Papas berühmte Siege auf der Rennbahn nach.

Doch sosehr er seine Modell-Rennbahn auch liebte, fragte Frank sich doch voller Sorge, woher sein Vater, der nun schon seit ein paar Jahren arbeitslos war, auf einmal so viel Geld hatte, um sie zu bezahlen. Frank wusste, dass nur wenige Kinder so eine Modell-Rennbahn besaßen. So etwas kostete Hunderte von Pfund. Und Papa besaß keine Hunderte von Pfund.

Kurz nach Franks Geburtstag bekamen sie immer wieder Besuch von **fiesen Männern**, die an ihre Wohnungstür hämmerten.

BAMM! BAMM! BAMM!

Sie fuchtelten mit Zetteln herum und schrien irgendetwas von offenen Schulden. Dann drängten sie sich an Frank vorbei in die Wohnung und nahmen alles mit, was sie für einigermaßen wertvoll hielten. Erst kam der **Fernseher** dran, dann das **Sofa** und schließlich Franks **Hochbett**.

Als Frank einmal nicht an die Tür ging, traten sie sie einfach ein. An diesem Tag nahmen sie die **Modell-Rennbahn** mit.

Nach diesen Besuchen sah Papa immer ganz verzweifelt aus und saß nur noch schweigend da. Frank tat sein Bestes, um seinen traurigen Papa wieder aufzumuntern.

«Sei nicht traurig, Papa», sagte er. «Ich hole unsere Sachen eines Tages alle zurück, das verspreche ich. Wenn ich erwachsen bin, dann werde ich Rennfahrer so wie du.»

«Komm her, Sohn, und gib mir einen *Knuddler*.»

Die beiden umarmten sich, und damit war alles wieder gut. Sie waren vielleicht arm, doch im

Herzen fühlte Frank sich niemals arm. Es war ihm egal, dass seine Pullover so viele Löcher hatten, dass kaum noch Wolle drum herum war. Es interessierte ihn nicht, dass er seine Schulbücher in einer Plastiktüte tragen musste, die immer riss. Bald schon war es normal, dass in ihrer Wohnung nur noch eine Glühbirne funktionierte, die sie abends von einem Zimmer ins andere mitnehmen mussten.

Das lag daran, dass der Junge den besten Papa auf der Welt hatte. **Jedenfalls dachte er das.**

STRENG GEHEIM

Eines Abends, sie aßen gerade kalte Baked Beans in ihrer kalten Wohnung, gab Papa beim Abendessen etwas bekannt.

«Ab heute wird alles anders.»

Frank sah seinen Vater beunruhigt an. Auch wenn die beiden nichts besaßen, mochte der Junge doch alles so, wie es war. Papa legte seinem Sohn die Hand auf die Schulter.

«Das ist **kein Grund**, sich Sorgen zu machen, Kumpel. Alles wird besser werden.»

«Aber wie?»

«Unser Leben wird sich ändern. **Ich habe einen Job.**»

«Toll, Papa! Das freut mich aber für dich!»

«Ich freue mich auch», antwortete Papa, aber er sah gar nicht erfreut aus.

«Was ist das für ein Job?»

«Ein Fahrerjob.»

«Stockcar-Fahren?», fragte Frank aufgeregt.

«Nein», sagte Papa. Er schien zu überlegen. «Aber ich werde schnell fahren. *Sehr schnell.*»

«Wow!» Franks Augen leuchteten auf wie die Scheinwerfer eines Autos.

«Ja! Wow! Und ich verdiene Geld. Viel Geld. Wir können uns den Fernseher zurückholen.»

«Der Fernseher ist langweilig. Ich höre lieber deine Rennfahrergeschichten.»

«Okay, Kumpel, dann holen wir uns das Sofa zurück!»

Der Junge dachte nach. Es war nicht besonders gemütlich, beim Essen auf einer Holzkiste zu sitzen. «Aber mich stören die Splitter im Hintern gar nicht.»

«Ehrlich?», lachte Papa, und dabei wackelte er auf der Holzkiste vor und zurück.

«**Autsch!** Jetzt habe ich noch einen!»

«Ha! Ha!»

«Also gut, also gut. Ich weiß, was du wirklich wiederhaben willst.»

«Was?»

«Deine Modell-Rennbahn.»

Der Junge schwieg. Die Rennbahn vermisste er wirklich. **«Ja, vielleicht, Papa.»**

«Es tut mir wirklich leid, dass sie die mitgenommen haben, Kumpel.»

«Nicht schlimm, Papa.»

Frank spürte, dass irgendwas an seinem Vater merkwürdig war – er wusste nur nicht, was. Lag es an diesem geheimnisvollen Job?

«Also, was wirst du denn fahren, Papa? **Einen Rennwagen?**»

«Nein, ich muss zwar schnell fahren, aber auf normalen Straßen.»

«Einen Krankenwagen?»

«Nein.»

«EINEN FEUERWEHRWAGEN?»

«Nein.»

Der Junge riss die Augen auf. «Doch nicht für die Polizei?»

Papa brachte es fertig, gleichzeitig zu nicken und den Kopf zu schütteln. «So was in der Art, ja.»

Frank zerbrach sich den Kopf. «Papa, was meinst du mit ‹So was in der Art›?»

«Na ja, das ist STRENG GEHEIM.»

«ERZÄHL'S MIR!», verlangte der Junge.

«Es wäre ja nicht mehr STRENG GEHEIM, wenn ich es dir erzähle!»

«Na ja, aber beinahe STRENG GEHEIM.»

«Ich kann nicht, Kumpel. Tut mir leid. Aber ich werde dafür bezahlt. Sehr gut bezahlt. Mit sehr viel Geld. Und wir können uns Sachen kaufen. Massenhaft Sachen. Neue Schuhe, Spielsachen, Computerspiele, was immer du willst.»

Frank sah mit Sorge, wie die Augen seines Vaters immer größer wurden. Es klang alles zu schön, um wahr zu sein.

«Aber ich brauche nicht massenhaft Sachen, Papa. Ich brauche nur dich.»

Das nahm Papa den Wind aus den Segeln. «Ja, ja, mach dir keine Sorgen. Ich werde hier sein. Ich gehe nirgendwohin.»

«Versprochen?»

«Ja, ja, versprochen, Kumpel.»

«Und du wirst auch nicht verletzt?», fragte der Junge. Auf keinen Fall wollte er, dass sein Vater auch noch sein linkes Bein verlor.

«Versprochen!», sagte Papa und hielt drei Finger seiner rechten Hand hoch. «Pfadfinderehrenwort. **Ha! Ha!**»

«Du warst doch nie bei den Pfadfindern.»

«Das macht nichts. Nun iss deine Baked Beans auf, du musst jetzt ins Bett!»

Wie alle Kinder auf der Welt wusste Frank genau, wann seine Schlafenszeit war und wann nicht. **«Aber jetzt ist noch nicht Schlafenszeit!»**, protestierte er.

«Die Zeit, in der du schlafen gehst, ist Schlafenszeit.»

Diese Logik ärgerte Frank.

«Das ist unfair! Wieso muss ich denn jetzt schon ins Bett?»

«Tante Flip kommt gleich, um auf dich aufzupassen.»

«Oh nein», antwortete Frank.

«Nun sei nicht so. Sie ist die einzige Familie, die wir haben. Und das Beste an ihr ist, dass sie immer bereit ist, zum Babysitten vorbeizukommen.»

«Ich bin aber kein Baby!»

«Das weiß ich, Kumpel.»

«Wo gehst du überhaupt hin?»

«Ich treffe mich nur mit Leuten im Pub.»

«Kann ich mitkommen, Papa?»

«NEIN!»

«BITTE!», bettelte der Junge.

«Nein! Das ist nur was für Erwachsene. Außerdem dürfen Kinder gar nicht in den Pub.»

«Aber ich will mit.»

«Sorry, Kumpel, das geht nicht. Jetzt komm, gib mir einen *Knuddler*.»

An diesem Abend war der *Knuddler* noch fester als sonst. Papa hielt seinen Sohn immer ein wenig **länger** im Arm, wenn er sich um etwas Sorgen machte. Frank war nicht dumm. Er wusste, dass irgendwas faul war. Er wusste nur nicht, was.

Noch nicht.

KAPITEL

DER GERUCH
VON ALTEN BÜCHERN

Tante Flip war nicht Franks Tante. Sie war Papas Tante. «Flip» war die Kurzform von Philippa, und sie gab stets damit an, dass sie vom feinen Teil der Familie abstammte, obwohl es so einen feinen Teil gar nicht gab. Tante Flip roch nach alten Büchern. Das lag vermutlich daran, dass sie Bibliothekarin war. Sie trug eine Brille, deren Gläser dicker waren als das Glas eines Haifischtanks. Ihre Vorstellung von einem gemütlichen Abend war, einen Stapel ihrer unveröffentlichten Gedichtbände mitzubringen, die sie Frank dann laut vorlas.

Und Tante Flip hatte viele Gedichtbände geschrieben:

ODE AN EINE PFÜTZE

Worte an den Wind

Reime über Handcreme

Blätter, Blätter und noch mehr Blätter

Bequeme Schlappen und andere Gedichte
über vernünftiges Schuhwerk

*Einhunderteins Gedichte
über den Fingerhut*

LAVENDEL: EIN LOBLIED IN VERSEN

DIE FREUDEN DER QUICHE

WANDERLIEDER

· · · M I N Z B O N B O N S · · ·

V E R S E   Ü B E R   V A S E N

HÄKELN!

DIE POESIE DER KIRCHENGLOCKE

PLITSCH! PLATSCH! PLOTSCH!
Baden mit Reimen

EINTAUSEND GEDICHTE
ÜBER WILDBLUMEN UND GRÄSER

Frank hasste Gedichte. Tante Flip las ihm ihre Gedichte über Wolken und Stachelbeeren und Regentage und Vogelgesang und Körperpuder vor. Für Frank war das Zuhören die reinste **QUAL**.

An diesem Abend ärgerte Frank sich besonders darüber, dass er mit Tante Flip allein sein musste, während sein Vater zu seinem superaufregenden, STRENG GEHEIMEN DAS-KANN-ICH-NICHT-MAL-MEINEM-SOHN-ERZÄHLEN TREFFEN ging. Frank zog sich mürrisch den Schlafanzug an und schob dann den Kopf ins Wohnzimmer.

«Gute Nacht, Tante Flip!», sagte er schnell und wollte gleich wieder verschwinden.

«Noch nicht!», flötete die Dame.

«Wie bitte?»

«Heute darfst du ausnahmsweise länger aufbleiben, junger Mann.»

«COOL!», rief der Junge.

«Ja! Du darfst länger aufbleiben, damit ich dir ein paar meiner Gedichte vorlesen kann.»

Das war definitiv nicht cool.

«Ich weiß ja, wie sehr du sie magst», sagte sie.

«Ich bin wirklich sehr müde», schwindelte Frank und tat, als müsste er gähnen, wobei er sich ausgiebig reckte.

«Du wirst gleich nicht mehr müde sein, junger Mann, denn ich habe eine Überraschung für dich!

Magst du Überraschungen?»

«Das kommt drauf an. Was ist es denn?»

«Wenn ich dir das sage, ist es ja keine Überraschung mehr», sagte Tante Flip.

Der Junge dachte nach. «Hat die Überraschung was mit Gedichten zu tun?»

«Ja! Woher wusstest du das?»

«Das hab ich bloß so geraten», seufzte Frank.

Tante Flip öffnete ihre Handtasche und holte ein in Leder gebundenes Buch hervor. Sie hielt es in den Händen wie einen heiligen Gegenstand. Vorsichtig schlug sie die erste Seite auf.

«Das erste Gedicht habe ich über dich verfasst, Frank.»

Die Vorstellung, ein Gedicht über sich selbst zu hören, war Frank **furchtbar unangenehm**. Es fühlte sich ungefähr so an wie damals, als Frank in der Schulkantine Würstchen gegessen hatte, die nicht genug erhitzt worden waren, und dann *sehr schnell* zur Toilette laufen musste, weil er dachte, sein Hintern würde gleich **explodieren**.

Tante Flip machte plötzlich sehr seltsame

Geräusche mit ihrem Mund. Erst klang sie wie ein wieherndes Pferd.

«Niiiihihihii! Niiiihihihii!»

Als Nächstes gab sie sehr hohe Brummgeräusche von sich, dass einem die Ohren schmerzten. Es klang, als würde jemand mit dem Finger auf dem Rand seines Glases herumfahren.

«WIIIIIIII, WAAAAAAA, WEEEEEEEEEEEEEE, WAAAAAAAAAAAAAA ...»

Frank stopfte sich die Finger in die Ohren. «Ist das das Gedicht?», schrie er über den Lärm hinweg.

Flip starrte den Jungen an, als wäre er verrückt.

«Nein! Ich wärme nur meine Stimme an! Gut. Jetzt bin ich bereit. Dieses Gedicht heißt einfach ‹Frank›, und es stammt von mir.»

«Mein lieber kleiner Frank,
ich möchte dir sagen Dank
dafür, dass ich dich treffe,
du super-duper Sohn
von meinem einzigen Neffe-n.
Du machst mich sehr froh,
Jeden Tag mehr, oho,
so wie ein Schmetterling in der Brise
Wie ein Täubchen auf der Remise,
wie die Bienchen in der Luft
wie eine Wolke, die verpufft.
Bei dir muss ich Freude nicht suchen,
du bist wie ein Apfelkuchen
mit warmer Vanillecreme.
Viel besser als meine Ekzeme.
Ich erwähne hier meine Ekzeme,
Weil sich sonst nichts reimt auf Creme.
Bleib immer jung, mein lieber Frank,
ich bitte dich, werd niemals krank!
Mein Gedicht geht nun zu Ende,
nur eins noch: Wasch dir immer die Hände.»

Die Augen seiner Tante glänzten vor Tränen, so gerührt war sie über die *pure Schönheit* ihres eigenen Gedichtes.

«Nun?», fragte sie schniefend. Lobheischend sah sie Frank an.

«Nun was?», fragte der Junge.

«Nun, was hältst du von diesem Gedicht über dich?»

«Mmmm. Ich finde, das Gedicht war sehr …»

«Ja?»

Frank war alt genug, um zu wissen, dass man manchmal zu einer Notlüge greifen muss, um andere Menschen nicht zu verletzen.

«Dichterisch! Es war ein sehr dichterisches Gedicht.»

Die Tante war überwältigt vor Glück. **«Ich danke dir!** Das ist wirklich ein hohes Lob. Jeder Dichter möchte, dass seine Gedichte dichterisch klingen. So, eines haben wir schon, dann sind es nur noch neunundneunzig.»

«Ich muss jetzt ins Bett!»

«Bist du sicher?»

«Absolut. Ich muss jetzt sofort ins Bett!»

«Wie wäre es, wenn ich dir noch ‹Eine Liebe in Altrosa› vorlese?»

«Das würde ich wirklich gern hören, aber …»

«Oder ‹Ein paar Zeilen über meinen Käsefuß›?»

«Ich kann wirklich nicht…»

«Aber die ‹Ode an eine Pfütze› wirst du lieben! *Platsch, platsch, platsch, der Regen platscht …*»

«NEIN! Ich meine … nein.»

Franks Tante sah ihn betroffen an. «Was meinst du mit ‹nein›?»

«Ich meine, danke, aber nein. Ich bin noch so aufgewühlt nach diesem schönen Gedicht, das du über mich geschrieben hast.»

Tante Flip nickte. «Natürlich! Natürlich. Ich habe die rohe Kraft meiner Ver-  se unterschätzt. Dann sage ich dir jetzt gute Nacht.» Sie breitete die Arme aus, um den Jungen zu umarmen. Zögernd ging Frank näher. Tante Flip drückte ihn immer zu fest.

«*URGH!*», machte Frank, als sie ihn an sich presste.

«Entschuldigung», sagte Tante Flip. «Ich bin nicht so gut in Umarmungen.»

Sie war nie verheiratet gewesen oder hatte je irgendeine Beziehung gehabt, soweit Frank wusste. Er vermutete, dass sie in ihrem Leben nicht viele Umarmungen erlebt hatte.

«Gute Nacht», sagte er. «Ich gehe jetzt schlafen.»

Aber das war eine weitere Lüge.

EINE GROSSE LÜGE.

TOD DURCH POESIE

Frank hatte sich schon oft heimlich aus der Wohnung geschlichen. Früher war er jeden Samstagabend an seiner Mutter vorbeigehuscht, um seinem Vater beim Rennfahren zuzusehen.

Doch damals war es einfacher gewesen. Frank hatte einfach seine Kissen unter die Bettdecke gestopft. Und falls seine Mutter sich wirklich mal vom Telefon losriss und den Kopf zur Tür hereinsteckte, musste sie glauben, dass ihr Sohn dort im Bett lag und fest schlief. Nun aber gab es keine Kissen mehr, oder Bettdecken, oder auch nur ein Bett. Seit die **fiesen Männer** gekommen waren, musste Frank auf einer alten Luftmatratze schlafen, die während der Nacht die Luft abließ wie ein langer, langsamer Trompetenstoß.

Frank hatte sich deshalb einen neuen Plan zurechtgelegt. Denn wenn er sich noch ein weiteres von Tante Flips Gedichten anhören musste, bestand die Gefahr, dass er *platzen* würde.

Also stopfte er einen alten Schlafanzug mit *zusammengeknülltem* Zeitungspapier aus und legte ihn auf seine Luftmatratze.

Schließlich musste Frank nur noch einen guten Moment abpassen, um sich aus der Haustür zu schleichen. Von seinem Zimmer konnte er hören, wie Tante Flip – Überraschung! – im Wohnzimmer ein neues Gedicht verfasste. Während sie schrieb, sprach sie es laut vor sich hin.

«Oh Baum, der du da stehst
und in der Brise wehst,
ich kann mich in dir sehen,
auch wenn ich nicht kann wehen,
ich hab auch keine Blätter,
das wäre sicher netter
so als Baum. Ach, oh ja,
ich hab auch keine Rinde …»

«Oje, nein, ich muss noch mal von vorn anfangen!»

«Oh Baum, der du da stehst …»

Das Wohnzimmer lag am Ende des Flurs, sodass Tante Flip ihn ganz bestimmt bemerken würde, wenn er versuchte, zur Haustür zu schleichen.

Nach einer Weile hörte Frank jedoch, wie seine Tante den Flur hinunterschlurfte. **Das war seine Chance!** Frank öffnete die Zimmertür ein winziges Stück und spähte durch den Spalt. Tante Flip schloss gerade die Toilettentür hinter sich.

KLICK!

«Oh nein! Die fiesen Männer haben auch die Klobrille mitgenommen!», hörte Frank sie rufen. «Jetzt muss ich mich hocken.»

Frank hatte natürlich keine Ahnung, welche Art von Geschäft seine Tante da verrichtete. Wie auch? Das war eine sehr private Angelegenheit, die nur Tante Flip und ihren Hintern etwas anging.

Ein großes Geschäft konnte lange dauern (bei manchen Leuten Stunden, sogar Tage*), während ein kleines in wenigen Sekunden vorbei sein konnte. Also hastete Frank, so schnell er konnte, über den Dielenboden (die **fiesen Männer** hatten auch den Teppich mitgenommen) in Richtung Haustür. Dort wollte er warten, bis das Geräusch der Toilettenspülung seine Flucht übertönte.

---

* Die längste je gemessene Sitzung eines großen Geschäftes beträgt vier Tage. Es wurde von einem 240 kg schweren Opernsänger namens Antonio Lasagnotti produziert und hätte ein Fußballfeld bedecken können.

SCHRECK!

Die Klotür öffnete sich.

KLICK!

«Ich fasse es nicht! Kein Klopapier!», murmelte Tante Flip vor sich hin.

Frank *hastete* gerade noch rechtzeitig zurück in sein Zimmer. Tante Flip trippelte, die Unterhose um die Knöchel schlackernd, seitwärts wie ein Krebs ins Wohnzimmer.

«Also, welches Gedicht kann ich opfern?», fragte sie sich. «Es sind alles Meisterwerke. Mal sehen. Oh ja, die ‹**Ode an ein pochiertes Ei**›!»

Frank hörte, wie sie eine Seite aus einem Buch herausriss. RITSCH!

Dann trippelte Tante Flip wieder seitwärts zur Toilette und schloss die Tür.

KLICK!

Frank hastete zur Haustür und wartete auf das Geräusch der Toilettenspülung.

KLONK!

Tante Flip zog an der Kette. Doch nichts geschah.

KLONK!

Wieder nichts.

KLONK! KLONK! KLINK!

«Oh, nein, die Kette ist gerissen!», rief sie. Frank hörte ein angestrengtes Stöhnen hinter der Toilettentür. «Ich muss meine Unterhose über den Hebel werfen.»

Geschafft! Frank öffnete die Haustür und schloss sie, so leise er konnte, hinter sich.

KLICK!

Der Fahrstuhl in ihrem Wohnblock war immer kaputt, was ziemlich lästig war, wenn man im neunundneunzigsten Stock wohnte. Frank hatte sich eine schlaue Art überlegt, wie man die langen Treppen am besten herunterkam. Er hatte einen alten Wäschekorb gefunden und mit Filzstiften in den Farben von *QUEENIE* bemalt – rot, weiß und blau. Er musste sich nur oben auf den Treppenabsatz setzen und den Rest der Schwerkraft überlassen. **SAUS!**

DIE FLIEGENDE PASTORIN

Mit einem Affenzahn raste Frank die Treppe hinab.

BOING!

BOING!

BOING!

Der Wäschekorb knallte auf jeder Stufe auf. Frank musste sich ordentlich festhalten, um nicht rausgeschleudert zu werden.

WUUSCH!

Genau wie beim Stockcar-Rennen konnte man gegen eine Menge Sachen prallen. Und es war schwieriger, einen Korb zu lenken, aber Frank lehnte sich nach links und rechts und rauschte so knapp vorbei an:

einer kaputten Waschmaschine …

einem umgedrehten Einkaufswagen …

einem *Schwarm* Tauben …

einem eingetretenen Fernseher …

einem Pizzaboten mit einem Pizzastapel …

Und einer winzigen alten Dame, die von drei kleinen Hunden die Treppe *raufgezogen* wurde.

Pastorin
Judith hatte
weniger Glück.
Frank nahm eine
Kurve *zu schnell* und
fuhr **direkt** in sie hinein.

BAMM!

«**Aaaah!**», schrie sie, als sie durch die Luft
flog.

Seht, eine fliegende Pastorin!

Sie machte einen Salto (ihren allerersten überhaupt) und landete auf ihrem Hintern.

PLATSCH!

Zum Glück für Frank war Pastorin Judith so nett, dass sie sich sogar für den Zusammenprall entschuldigte.

«Tut mir leid, dass ich im Weg stand!», rief die Pastorin.

«Mir tut es leid, Pastorin Judith!», rief Frank zurück, während er weiter die Treppe hinabsauste.

«Ich hoffe, ich sehe dich Sonntag in der Kirche!», rief sie und rieb sich ihren schmerzenden Po. Die Pastorin war oft im Wohnblock und lud die Bewohner in ihre leere Kirche ein, auch wenn sie nie kamen. Frank hatte Mitleid mit ihr, aber nicht genügend Mitleid, um am Sonntagmorgen früh aufzustehen und hinzugehen.

WUSCH!

Der Wäschekorb holperte die letzten Stufen hinab und schlitterte über den Boden.

SAUSSS!

Endlich blieb er stehen. Der Junge versteckte den Korb hinter ein paar Mülleimern, dann lief er in Richtung Pub, der den Namen Zum Henker trug.

Durch die schmierigen Fenster konnte Frank sehen, dass der Pub rammelvoll war. Hier war die Welt der Erwachsenen in all ihrer Pracht: Männer stritten, Frauen zankten, und alle tranken. Es war so laut, dass es kaum der geeignete Ort für ein GEHEIMES TREFFEN schien. Und trotz aller Bemühungen konnte Frank seinen Vater nirgendwo entdecken.

Gerade wollte er aufgeben und nach Hause gehen, da hörte er GEDÄMPFTE STIMMEN vom Parkplatz. Er drehte sich um und sah Männer in einem weißen Rolls-Royce sitzen und sich unterhalten. Der Rolls-Royce fiel auf, nicht bloß wegen seiner **Größe**, sondern auch, weil niemand in der Gegend so ein teures Auto besaß.

Der Junge konnte die Männer im Inneren nicht gut erkennen, denn das Auto war voller Zigarrenqualm. Er schlich um die anderen geparkten Autos herum, um näher heranzukommen. Auf dem Fahrersitz konnte er den Umriss seines Vaters erkennen. Aber wer waren die anderen Männer? Und was machte Papa in diesem **wahnsinnig** *teuren* Auto?

Um zu verstehen, was sie sagten, kletterte Frank auf das Dach des Klempnerwagens, der direkt neben dem Rolls-Royce parkte. Doch er konnte nur hier und da ein Wort hören. Darum stieg Frank, so leise er konnte, vom Dach des Lieferwagens auf das Dach des Rolls-Royce. Er legte sich flach hin, damit er hören konnte, was drinnen geredet wurde.

Wie sich herausstellte, war das **ein großer Fehler**.

NUR DIESES EINE MAL

Was, wenn sie uns erwischen?» Das war Franks Vater, der da redete.

Wobei erwischen?, dachte Frank, der oben auf dem Dach des Rolls-Royce lauschte.

«Wenn du schnell genug fährst, wird hier keiner erwischt», antwortete ein Mann. «Ich habe die Pläne genau geprüft. Wir sind in zwei Minuten rein und wieder raus.»

«Ich weiß nicht. Das ist ein viel **größeres** Ding, als Sie mir gesagt haben. Ich will Ihnen lieber das Geld zurückzahlen, das Sie mir geliehen haben. **Bitte**», sagte Papa.

«Das habe ich schon eine Million Mal von dir gehört.»

«Ich finde bestimmt einen Job.»

«In dieser Stadt gibt es keine Jobs, besonders nicht für Leute, die humpeln.»

Von den beiden Männern auf den Rücksitzen hörte man hämisches Gelächter. **«Ha! Ha! Ha!»**

«Du liebst doch deinen Sohn, oder?», sagte der erste Mann.

Frank schluckte. Der Mann redete von ihm!

«Ja, ja, natürlich tue ich das. Ich liebe ihn mehr als alles auf der Welt. Was hat er damit zu tun?»

«Es wäre doch schade, wenn ihm irgendetwas zustoßen würde …»

«Lassen Sie meinen Sohn aus dem Spiel!»

«Dann tu, was ich dir sage.»

«Wenn Sie ihm auch nur ein einziges Haar krümmen, dann …»

«Dann was?», höhnte der Mann auf dem Beifahrersitz.

«Dann trittst du mich mit deinem Holzbein?»

Die beiden Männer hinten lachten wieder.

«Ha! Ha! Ha!»

«Na gut, na gut», sagte Papa. «Ich tue, was Sie wollen. Aber nur dieses eine Mal. **Dann bin ich raus.**»

«Das war doch gar nicht so schwer, oder?», schnurrte der Mann auf dem Vordersitz. «Also, Gilbert, jetzt will ich aber sehen, dass du immer noch fahren kannst wie in den alten Zeiten.»

«Ich kann fahren, ob mit oder ohne Holzbein.»

«Dann zeig es mir.»

«Sind Sie bereit?», fragte Papa.

«Ja.»

«Dann halten Sie sich fest», sagte Papa.

Der Motor des großen Rolls-Royce *heulte* auf.

BRUM BRUUMM BRUUMMM!

Dann drehten die Hinterreifen durch, und eine Rauchwolke stieg in die Luft. Frank musste vom Gummigestank WÜRGEN. Er richtete sich auf, um

zurück auf den Lieferwagen daneben zu springen.
Doch Papa war zu schnell für ihn.

**Der Rolls-Royce schoss hinaus in die Nacht,
und Frank stand noch auf dem Dach!**

KAPITEL

10

KEINE VERSCHNAUFPAUSE

Frank ließ sich auf das Dach des Autos fallen und klammerte sich am Rand fest. Der Rolls-Royce war bereits vom Parkplatz des Pubs herunter und *schoss* nun mit hundert Stundenkilometern die Straße entlang. Vom Fahrtwind liefen Frank die Tränen herunter, und seine Haare flatterten. Das war die **gefährlichste** Fahrt aller Zeiten!

Natürlich hatte Papa keine Ahnung, dass sein Sohn oben auf dem Dach des Rolls-Royce lag. Ansonsten wäre er niemals:

bei Rot über die Ampel gefahren …

SAUS!

hätte keinen gefährlichen Schwenker gemacht, um einem Bus auszuweichen

QUIIIEETSCH!

und wäre nicht durch einen Zaun gefahren …

W
A
M
M!

bevor er mitten durch den Park raste.

BRUMM!

Der Rolls-Royce rumpelte über das Gras

RUMPEL! RUMPEL! RUMPEL!

und Frank flog auf dem Dach hin und her.

BAMM! BAMM! BAMM!

«Uff! Uff! Uff!»

Als er es endlich wagte, die Augen aufzumachen, fuhren sie gerade direkt auf den Zaun am anderen Ende des Parks zu.

KAWUMM!

Holzplanken flogen durch die Luft. Ein großes Brett *schoss* direkt über Franks Kopf hinweg.

Alles geschah so schnell, dass Frank keine Verschnaufpause bekam.

Das Auto hielt nun auf eine Gasse zu, die viel schmaler war als das Auto selbst. Wenn Papa jetzt nicht gleich bremste, dann würde der Rolls-Royce bestimmt gegen eine der beiden Mauern **krachen**.

«STOPP!», brüllte der Mann auf dem Beifahrersitz.

«AAHHH!», schrie das Paar auf dem Rücksitz.

Doch stattdessen *heulte* der Motor nur noch lauter auf.

«NEEIIIN!», hörte man aus dem Inneren des Autos.

Frank hielt es nicht mehr aus. Er kniff die Augen zu.

ZWEI REIFEN
SIND BESSER ALS VIER

Vor der Gasse lag ein Haufen Bretter. Der Rolls-Royce steuerte darauf zu und fuhr mit den linken Reifen darüber, sodass das Auto auf die rechten Reifen kippte!

Frank riss die Augen wieder auf, weil er am Dach herunterrutschte. Verzweifelt versuchte er, sich irgendwo festzuhalten.

Das Auto raste jetzt auf nur zwei Reifen durch die enge Gasse.

WUSCH!

«Du zerquetscht mich!», hörte man jemanden aus dem Auto rufen.

Papa schoss am anderen Ende der Gasse wieder hinaus, riss das Steuer herum, und das Auto plumpste wieder auf alle vier Räder.

BÄMM!

Gerade wollte Frank erleichtert aufatmen, als er eine Sirene hörte.

TATÜ-*TATAA!*

TATÜ-*TATAA!*

Blaulicht blinkte an den Häuserwänden auf. Frank schaute über die Schulter. Ein Polizeiwagen war ihnen **DICHT** auf den Fersen.

Papa drückte das Gaspedal runter, und der Rolls-Royce raste auf der Gegenspur eine Hauptstraße entlang. Frank traute seinen Augen nicht. Der Wagen schoss direkt durch den Gegenverkehr! Lastwagen und Autos wichen hektisch aus, während Papa immer gerade noch rechtzeitig den

Lenker
herumriss.

Es war *aufregend* und gleichzeitig beängstigend. Von vorn näherte sich mit ziemlicher Geschwindigkeit eine Wand aus Blaulicht. Es dauerte einen

Augenblick, bis Frank begriff, was das war. Die
POLIZEI! Mehrere Polizeiautos *rasten* direkt
auf sie zu. Sie fuhren nebeneinander und
blockierten die gesamte Straße.

**Man konnte nicht um sie herum-
fahren.**

**Man konnte nicht unter ihnen
durchfahren.**

**Man konnte nicht durch sie
hindurchfahren.**

Jetzt saßen sie in der Falle.

Papa war ein Champion-Rennfahrer,
aber diesmal würde er nicht gewinnen
können.

Frank atmete erleichtert aus. Die
schlimme Fahrt war gleich vorbei. Er
würde seinen zwölften Geburtstag
doch noch erleben.

Doch anstatt langsamer zu fahren,
drückte Papa noch mehr aufs Gas.
Zwischen dem Rolls-Royce und der
WAND AUS POLIZEIAUTOS kam ein großer Laster auf sie zu. Auf seinem Anhänger

wurden normalerweise Autos transportiert, doch im Moment war er leer. Als der Lastwagenfahrer einen Rolls-Royce auf sich *zurasen* sah, riss er sein Lenkrad herum, und der Laster drehte sich mitten auf der Straße …

QUIIIIIEEETSCH!

… und blieb stehen.

Papa erkannte seine Chance und fuhr direkt von hinten auf den Anhänger zu. Die Rampe, über die die Autos aufgeladen wurden, hing herunter. Der Rolls-Royce schoss darauf zu.

BRUMMMM!

Er setzte auf die Rampe auf und raste hinauf.
Oben hob der Rolls-Royce ab und segelte durch die
Luft.

BOING!

Frank spürte sein Herz in der Brust pochen.
BUMM! BUMM! BUMM!
Es pochte so heftig, als wolle es herausspringen.
Auf einmal ging alles wie in Zeitlupe. Frank flog.

Er wollte, dass es **sofort aufhörte**. Er wollte, dass es **niemals aufhörte**.

Der Rolls-Royce segelte über die Polizeiwagen und berührte im Sinkflug gerade noch das Dach des letzten Autos mit dem Hinterreifen.

SCHRAMM!

Er landete mit einem lauten **_KRACH!_** auf dem Boden, und Frank sah sich schon durch die Luft fliegen, als der Wagen wie ein Fußball ein Stück weiter die Straße entlanghüpfte.

BOING!
BOING!
BOING!

Doch es gelang ihm, sich am Dach des Rolls-Royce festzuklammern. Schon schoss das Auto wieder die Straße entlang.

Frank schaute über die Schulter zurück auf das Chaos, das sein Vater angerichtet hatte.

Die Polizisten versuchten, ihre Wagen zu wenden, doch da sie sich so dicht nebeneinandergestellt hatten, waren sie ineinander verhakt und _krachten_ gegeneinander, als sie die Verfolgung aufnehmen wollten.

KNALL! **KRACH! SCHEPPER!**

Und auch wenn Frank vor Angst beinahe starb, musste er doch grinsen. Sein **heldenhafter** Vater hatte es mal wieder geschafft.

SCHLEUDER

Frank klammerte sich immer noch am Dach fest, während der Rolls-Royce zurück zum Parkplatz des Pubs sauste. Papa war wegen seines wagemutigen Sprungs über die Polizeiwagen offenbar bester Laune und parkte das Auto schwungvoll rückwärts in die gleiche Lücke wie vorher, wobei er die Nachbarwagen nur um Zentimeter verpasste.

QUIIIEEETSCH!

Der Rolls-Royce blieb so abrupt stehen, dass Frank sich nicht länger festhalten konnte und vom Dach des Wagens heruntergeschleudert wurde.

WUSCH!

Er segelte durch die Luft wie eine Kanonenkugel und landete in einem Gebüsch.

«UFF!»
RASCHEL!

Zum Glück wurde sein Sturz von dem Gebüsch abgefedert, sodass Frank sich nichts brach. Trotz seiner Benommenheit rappelte er sich sofort auf und suchte ein Versteck. Er wollte nicht, dass sein Vater mitbekam, dass er ihm im Schlafanzug hinterherspionierte. Sonst würde er GROSSEN Ärger kriegen.

«WAS WAR DAS?», brüllte der Mann auf dem Beifahrersitz.

«Was war was?», antwortete einer der Männer.

«IRGENDWER WAR AUF DEM DACH MEINES AUTOS! IHM NACH!», schrie der erste Mann.

Die beiden Männer auf dem Rücksitz stolperten aus dem Wagen. Der eine war **lang** und **drahtig**, der andere **dick** und **stämmig**.

Frank versteckte sich hinter einer Mülltonne und

beobachtete sie. Die beiden waren von der Fahrt offenbar ziemlich mitgenommen, denn sie waren grün im Gesicht, beugten sich keuchend vor und atmeten schwer.

«ICH SAGTE, IHM NACH! Worauf wartest du, Finger?»

«Ich kann nicht, Chef. Ich glaub, ich muss mich übergeben», antwortete der lange Dünne.

«DANN DU, DÄUMLING!»

Der Stämmige hatte Tränen in den Augen. «Ich hab mich nassgemacht, Chef», murmelte er. «Und in nassen Hosen kann ich nicht laufen.»

«WIESO NICHT?»

«Meine Mum sagt, dann scheuere ich mich wund.»

«IHR NUTZLOSEN SCHWACHKÖPFE!», brüllte er. «GILBERT! HINTERHER!»

Papa kletterte aus dem Auto. Seit er sein Bein verloren hatte und ein Holzbein trug, humpelte er.

«Tut mir leid, Mr. Big. Es ist spät. Und ich habe die Babysitterin zu Hause. Ich muss jetzt los.»

Die Augen des kleinen Mannes wurden schmal,

und seine Worte schossen wie Gewehrkugeln aus seinem Mund. **PAMM! PAMM! PAMM!**

«Ihr hört mir nicht zu! Da war jemand auf dem Dach von meinem Rolls. Und jetzt werdet ihr drei ihn suchen. SOFORT!»

Mr. Big war vielleicht nicht groß, doch wenn er schimpfte, hatte man das Gefühl, einem Krokodil gegenüberzustehen. Finger, Däumling und Papa taten deshalb sofort, was er sagte. Däumling watschelte breitbeinig davon, weil er sich nassgemacht hatte. Der drahtige Finger stieß Papa in den Rücken und schob ihn vorwärts in Richtung Gefahr, welche auch immer da in den Schatten lauern mochte. Hinter dem Mülleimer saß Frank in der Falle. Er kauerte sich in der Dunkelheit zusammen und betete, dass er nicht entdeckt würde. Die drei Männer kamen näher. Finger durchsuchte das Gebüsch und strich mit seinen langen, dünnen Fingern über die Zweige. Währenddessen ging Däumling **keuchend** und **schnaubend** auf die Knie und sah unter den Autos nach.

«Hier ist nichts, **Chef**!», rief Däumling.

«Hier auch nicht, **Boss**!», fügte Finger hinzu.

Papa stand jetzt so dicht vor Frank, dass er seinen Vater atmen hörte. Papa spähte hinter die Tonne. Dort kauerte sein Sohn und schaute ihn schuldbewusst an.

«IST DA JEMAND?», brüllte Mr. Big.

«Nein. Niemand», antwortete Papa, während er Frank direkt in die Augen schaute. «Überhaupt niemand.»

Papa schüttelte ganz leicht den Kopf. Frank verstand: Er sollte sich vollkommen still verhalten. Wenn er auch nur einen Muskel rührte, dann würden sie beide in der

Klemme stecken.

«Es muss ein Vogel gewesen sein, Mr. Big», sagte Papa.

«Verdammt großer Vogel», murmelte der kleine Mann. «Los, wir müssen hier weg, bevor die Bullen anfangen rumzuschnüffeln. Finger, du lackierst den Rolls um und tauschst die Nummernschilder aus.»

«Ja, Chef.»

«Däumling, du kannst jetzt fahren.»

«Danke, Boss», antwortete der Stämmige.

«Ich will heil nach Hause kommen. Los, rein mit euch allen.»

Papa schritt mit hängendem Kopf zum Auto. Bestimmt hatte er Angst, sich zu verraten.

«Was ist mit dir los?», zischte Mr. Big. Dem VERBRECHERBOSS entging **nichts**.

«Nichts.»

«Ich kann mich doch auf dich verlassen, oder?»

«Ja, Sir. Absolut.»

«Gut. Wäre doch schade, wenn ich deinem Jungen was antun müsste. Also rein mit dir.»

Von seinem Versteck aus hörte Frank die Wagentüren zufallen.

KLONK!

Das Auto schoss in die Nacht davon.

In Frank breitete sich ein schreckliches Gefühl aus.

In welche **üble Gesellschaft** war sein Vater da nur geraten!

KLATSCH! KLATSCH! KLATSCH!

Frank lief zurück nach Hause. An der Wohnungstür hockte er sich hin und spähte durch den Briefschlitz. Es war dunkel, aber er hörte Tante Flip **laut** schnarchen.

„Zzzz... zzzz... Zzzz... zzzz...“

Schnell schloss er die Tür auf und huschte den Flur entlang in sein Zimmer. Mit einem Satz hopste er auf seine **LUFTMATRATZE** und brachte sie damit zum Platzen.

PENG!
KATASTROPHE!

Der Krach weckte Tante Flip, und sie hastete in Franks Zimmer.

«ALLES IN ORDNUNG?», schrie sie. «ICH HABE EINEN KNALL GEHÖRT!»

Frank tat so, als ob er schliefe.

«ZZzz ... ZZZZ ...»

Doch das störte Tante Flip nicht. Sie schrie einfach noch mal und diesmal direkt in Franks Ohr.

«FRANKIE?»

Doch Frank hielt weiter die Augen geschlossen.

Nun klopfte Tante Flip ihm auf die Wangen. *PATSCH! PATSCH! PATSCH!*

Dann wurden die Patscher zu Klatschern.

KLATSCH! KLATSCH! KLATSCH!

In diesem Moment kam Papa zur Tür herein und rief: «Tut mir leid, dass ich so spät komme, Tante Flip!»

«Schon gut», hörte Frank sie sagen. «Frank hat die ganze Zeit geschlafen wie ein Baby.»

«Ach, wirklich?» Papas Stimme klang überrascht.

«Oh ja. Er hat gar keine Mühe gemacht.»

«Danke. Kannst du Samstagabend noch mal zum Aufpassen kommen?»

«Sehr gern, Gilbert. Dann also bis dann.»

«Danke, Tante Flip. Gute Nacht.»

Frank hörte, wie die Wohnungstür zufiel, doch er tat weiterhin so, als würde er schlafen. Aber Papa konnte er nicht täuschen. Er hatte seinen Sohn noch vor wenigen Minuten hinter einer Mülltonne gesehen. Und jetzt mussten sie ein **ernstes Gespräch** miteinander führen.

KAPITEL 14

VERSPROCHEN

Was um alles in der Welt hast du dir dabei gedacht?», fragte Papa und kniete sich in Franks Zimmer auf den Boden.

«Was um alles in der Welt hast *du* dir dabei gedacht?», antwortete Frank.

Papa gefiel es gar nicht, dass Frank seine Frage mit einer Gegenfrage beantwortete, darum blieb er standhaft.

«Ich habe zuerst gefragt», sagte er.

Frank schluckte. Er musste immer schlucken, wenn er schwindelte. «Ich konnte nicht schlafen, darum bin ich rausgegangen, um etwas frische Luft zu schnappen.»

Papa schüttelte den Kopf. «Netter Versuch, Kumpel.»

Er hatte Frank **durchschaut**. Nun musste der Junge gestehen. «Na gut, Papa – ich bin dir gefolgt. Aber nur, weil ich mir **Sorgen** um dich gemacht haben.»

«Um mich? Ich habe mir Sorgen um *dich* gemacht! Sich am Dach eines fahrenden Autos festzuhalten – *bist du verrückt?!*»

«Als ich aufs Dach geklettert bin, fuhr es ja noch nicht», meinte Frank.

Das machte Papa nur noch wütender. **«Du hättest tot sein können!»**

Die Worte hingen unheilvoll in der Luft. Frank antwortete seufzend: «Ich weiß, Papa. Das war dumm von mir. Aber es klang so, als hättest du auch etwas ziemlich Dummes vor.»

Papa zögerte. Er wusste ja nicht, was Frank alles mitgehört hatte. «Es ist nicht das, wonach es klang.»

«Es klang nach etwas sehr Schlimmem.»

«Ich bin bloß der Fahrer.»

«Aber das sind **böse** Menschen. Bitte, Papa. Bitte tu es nicht.»

Papa hatte auf einmal Tränen in den Augen. «Ich versuche ja nur, das Beste für dich zu tun, Kumpel.»

Frank schüttelte den Kopf. «Was auch immer es ist, ich möchte nicht, dass du es machst.»

«Aber es ist nur dieser eine Job. Das ist alles. **Nur ein Job.** Dann kann ich meine Schulden bezahlen, und wir haben immer noch ein bisschen Geld für uns übrig.»

«Aber Papa …»

«Bitte, Kumpel, ich weiß, was ich tue. Du hast ja gesehen, wie ich heute Abend gefahren bin.»

«Ich musste die meiste Zeit die Augen zukneifen.»

«Ich kann immer noch so fahren wie früher.»

«Ich weiß. Aber was die auch immer von dir verlangen, bitte tu es nicht. Ich will nicht, dass du ins Gefängnis musst oder getötet wirst. Der Unfall war schon schlimm genug. Ich habe Angst, Papa. **RICHTIG DOLL ANGST.**»

Frank schlang seinem Vater die Arme um den Hals und drückte seinen Kopf an dessen Brust. Er konnte sein Schluchzen nicht unterdrücken. Und damit steckte er seinen Vater an. Papa liefen die Tränen herunter. Er steckte wirklich in der Klemme. Mr. Big und seine Bande hatten **gedroht**, dem Menschen etwas anzutun, den er über alles in der Welt liebte – **seinen Sohn**. Wenn Papa nicht tat, was sie verlangten, was würden sie dann mit Frank anstellen?

«Komm schon, Kumpel, wein doch nicht», sagte Papa und strich seinem Sohn über die Haare, so wie er es früher immer getan hatte, als Frank noch ganz klein gewesen war.

«Du bist immer mein Held gewesen, Papa. Bitte, bitte, **tu es nicht**», sagte Frank und schaute zu seinem Vater hoch.

Papa konnte es nicht ertragen, seinen Sohn so zu sehen.

«Nun, wenn du wirklich meinst, dann tue ich es nicht.»

«Wirklich?», fragte Frank.

«Wirklich», antwortete Papa.

Über Franks Gesicht breitete sich ein Lächeln aus. «Versprochen?»

«Versprochen», antwortete Papa. «Ich finde einen anderen Weg, um das Geld zurückzuzahlen.»

«Du kannst meine Luftmatratze verkaufen, Papa», bot Frank an. «Ich kann gut auf dem Boden schlafen.»

Irgendwie machte das Papa nur noch trauriger.

«Du bist so ein lieber Junge», antwortete er mit feuchten Augen. «Jetzt gib mir einen *Knuddler* und dann schlaf.»

Sie hielten sich einen Moment ganz fest.

«O. k., Papa, mache ich», sagte Frank.

«Braver Junge.»

Damit stand Papa auf und wollte aus dem Zimmer gehen.

«Papa?», sagte Frank.

«Jep?»

«Du wirst immer mein Held sein, egal was passiert.»

Schweigend zog Papa die Zimmertür hinter sich zu.

KAPITEL

15

PSALME UND PING-PONG

DRRIIINNG!, machte die Türklingel.

Es war früh am nächsten Morgen, und Frank stolperte verschlafen den Flur entlang. Als er durch die Milchglasscheibe in der Tür schaute, sah er einen weißen Kragen und noch **WEIßERE ZÄHNE** blitzen. Es war Pastorin Judith mit ihrem breiten Grinsen.

Es war wichtig, die Pastorin niemals in die Wohnung zu lassen. Denn wenn man sie hereinließ, dann wurde man sie nicht mehr los. Sie ging fast jeden Tag von Tür zu Tür, bewaffnet mit einem Haufen Zettel, auf denen Flohmärkte angekündigt wurden oder Kuchenbasare oder Kindergottesdienste. Manchmal schüttelte sie dabei eine Blechdose, mit der sie Geld für das Kirchendach sammelte, das dringend repariert werden musste. Beinahe täglich schob die Pastorin einen neuen Zettel durch den Briefschlitz. Sie dachte sich immer merkwürdigere Termine aus, um die Leute in die Kirche zu locken.

Ein Abend mit Psalmen und Ping-Pong

Wir wollen Ping-Pong spielen und gleichzeitig unsere Lieblingspsalmen lesen.
Jeden Freitag!

ROCK'N' ROLL — mit — GOTT

Auf den Knien zu den neuesten Rocksounds beten! Jeden Dienstag von 11–12 Uhr in der Kirche.

RAP NIGHT

Jeden Montagabend ab 19 h darf sich jeder angehende Rapper das Mikrophon nehmen und zu jedem Thema rappen, solange es um unseren Herrn und Erlöser geht.

Abendmahl-Weinprobe

Jeden Mittwoch um 19 h

ROLLSCHUH-DISCO IN WEIHNACHTLICHER VERKLEIDUNG

Zieht euch Rollschuhe und Weihnachtskostüme an und feiert die Geburt von Jesus, während ihr auf Rädern durch die Kirche saust. Tickets für Heiligabend sowie für den ersten und zweiten Weihnachtstag.

Streetdance-Wettbewerb Donnerstagabend

Egal, wie alt ihr seid, zeigt eurem Herrn und Vater, was ihr draufhabt. **Freestyle!**

Golf & Gesang Championships

Puttet, während ihr singt. Jeden Dienstagmorgen. Der Gewinner erhält ein Gesangbuch.

GRAFFITI ist COOL!

Kommt und besprayt die Kirchenwand jeden Samstagabend!*

* aber nur mit weißer Farbe, denn das Gebäude muss dringend gestrichen werden.

Bewerft eure Pastorin

Am Samstagnachmittag werde ich auf dem Marktplatz im mittelalterlichen Schandstuhl sitzen, und ihr seid herzlich eingeladen, mich mit Zeug zu bewerfen, solange ihr beim Leben eurer Großmutter schwört, am Sonntag in die Kirche zu kommen.

Drum and bass
& Käse-Nachmittag

Tanzt zu euren Lieblings D'n'B Songs, während ihr Käse nascht und dabei etwas über den rechten Pfad erfahrt.
Jeden Dienstag um 15 Uhr.

«Schön, dich wiederzusehen, Frank», sagte Pastorin Judith mit einem **großen, ZAHNIGEN GRINSEN**, als Frank die Tür öffnete.

«Tut mir leid, dass ich Sie angerempelt habe!», antwortete Frank.

«*Ich* muss mich entschuldigen. Ich habe dich angerempelt.»

«Tut mir leid.»

«Tut *mir* leid.»

«Tut mir leid.»

«Tut *mir* leid. Darf ich reinkommen?», fragte die Pastorin und schaute Frank an wie ein Hund, der um einen Knochen bettelt.

«Rein?», fragte Frank.

«Ja, rein.»

«Rein wie in … *hier rein?*»

«Ja, wie in … *hier rein.*»

«In *unsere Wohnung?*»

«Ja.»

«Jetzt?»

«Ja, wenn es passt?»

Papa rief aus seinem Schlafzimmer. **«Wer hat da geklingelt?»**

«Die Pastorin!», rief Frank zurück.

«Oh nein!», antwortete Papa. «Lass die Verrückte bloß nicht rein!»

Das Lächeln der Pastorin erstarrte. Jetzt sah sie aus wie ein Hund, den man auf einer Autobahnraststätte ausgesetzt hatte.

Frank lächelte sie aufmunternd an. «Papa, sie steht vor der Tür.»

«Dann mach auf keinen Fall auf!»

«Die Tür steht schon offen.»

Eine Weile war es still.

«Hat sie etwa alles gehört, was ich gesagt habe?», flüsterte Papa.

Frank schaute Pastorin Judith fragend an.

Die Dame nickte.

«Ja», antwortete Frank.

TEEBEUTEL OHNE TEE

Papa hüpfte in Unterwäsche den Flur entlang und schnallte sich dabei sein Holzbein um.

«**Pastorin Judith!**», rief er fröhlich. «Was für eine *nette* Überraschung. Wie *schön*, Sie zu sehen! Warum stehen Sie denn vor der Tür ... kommen Sie rein! **Kommen Sie rein!**»

«Danke, danke. Ich versuche immer, so viele meiner Gemeindemitglieder wie möglich zu besuchen», sagte Pastorin Judith und folgte Vater und Sohn in die Küche.

«Eine Tasse Tee, Pastorin?», fragte Papa.

«Ja, bitte. Sehr freundlich. Mit Milch und zwei Stück Zucker.»

«Mach unserem Gast eine Tasse Tee, ja, Kumpel?»

«Ja, Papa», antwortete Frank.

Tee zu kochen, war in ihrem Haushalt keine einfache Aufgabe. Die **fiesen Männer** hatten den Teekessel mitgenommen, und sie waren zu arm, um sich Teebeutel oder Milch zu leisten.

«Also, Pastorin, was können wir heute Morgen für Sie tun?», fragte Papa.

«Nun, bestimmt wissen Sie ja, dass am Sonntag Vatertag ist, und ich habe da etwas ganz *Besonderes* für den Gottesdienst geplant …»

Ein gebrauchter Teebeutel lag neben der Spüle, damit man ihn mehrmals benutzen konnte. Mittlerweile sah er ziemlich blass aus – eigentlich war es nur noch ein Teebeutel ohne Tee.

«… und ich dachte, Sie und Ihr Sohn könnten doch vielleicht vorn am Altar etwas für die Gemeinde aufführen.»

Frank hörte genau zu, während er den trübseligen Teebeutel in einen angestoßenen und henkellosen Becher legte und ihn mit heißem Wasser aus dem Hahn aufgoss.

«Was meinen Sie mit ‹aufführen›?», fragte Papa mit leichter Panik in der Stimme. Er war zuletzt als Kind in der Kirche gewesen, und allein der Gedanke erfüllte ihn mit **ANGST**.

«Ach, das kann alles Mögliche sein. Eine Bibellesung, ein Stück auf der Orgel, ein Duett, ein kleines Tänzchen, ein Gedicht …»

Frank schaute seinen Papa an, der so blass aussah wie der Tee, den er gerade zubereitete.

«Also, ich bin kein großer Dichter», antwortete Papa. «Meine Tante Flip ist die Dichterin in der Familie.»

«**Wunderbar!**», rief die Pastorin. «Dann lesen Sie einfach eins von ihren Gedichten.»

«*Was?*» Irgendwie hatte Papa gerade in etwas eingewilligt, das er gar nicht tun wollte.

Währenddessen hatte Frank etwas getrockneten Joghurt, der vor vielen Jahren mal an die Wand gespritzt war, abgekratzt und anstelle von Milch in den Becher gerührt. Als Zucker musste er mit einem halbgelutschten Karamellbonbon improvisieren, der schon einige Zeit auf dem Küchenfußboden klebte. Er warf ihn in den Becher und hoffte, dass er sich im lauwarmen Wasser auflöste.

Er tat es nicht.

Zögernd reichte Frank der Pastorin den Becher Tee (wenn man das so nennen konnte). Pastorin Judith starrte **ENTSETZT** hinein. Der Tee sah aus wie das Badewasser von einem Oger. Sie nahm einen Schluck. Ihre Nasenlöcher **blähten** sich, ihre Augen fingen an zu **tränen**, und ihre Gesichtsfarbe verwandelte sich in ein giftiges **Grün**. Irgendwie schaffte sie es, einen Schluck der **EKLIGEN** Flüssigkeit herunterzuwürgen.

Frank grinste in sich hinein. Irgendwie amüsierte ihn das Ganze. «Noch etwas Tee, Pastorin?»

«Ach du Schreck, ist es schon so spät?», rief Pastorin Judith und tat so, als schaute sie auf ihre Armbanduhr, auch wenn sie gar keine trug. «Ich muss los – zu schade, dass ich meinen köstlichen Tee nicht austrinken kann. Ich freue mich also darauf, Sie beide **frisch und munter** am Sonntagmorgen mit einem Gedicht in der Kirche zu sehen!»

Papa nickte und zwang sich zu einem Lächeln, was ihm nicht gelang.

Als die Tür zugefallen war, schaute Papa auf den schlimmsten Becher Tee, der jemals in der Geschichte der Menschheit zubereitet worden war.

«Gut gemacht, Kumpel – der Tee hat sie verscheucht.»

«Was ist mit Sonntag?», fragte Frank.

«Was soll damit sein?»

«Du hast gesagt, du würdest in der Kirche ein Gedicht vortragen.»

«Nein, habe ich nicht.»

«Du hast aber auch nicht gesagt, dass du es *nicht* tun wirst.»

«Na ja, nein, aber …»

«Kein Aber. Du kannst die Pastorin nicht hängen lassen.»

«Warum nicht?»

«Weil, weil, weil … sie eine nette Frau ist.»

«Wenn sie so nett ist, warum hast du dann

versucht, sie mit dem Tee zu **VERGIFTEN**?», witzelte Papa.

Frank ärgerte sich über seinen Vater und wollte gar nicht lachen. Aber er konnte es nicht unterdrücken.

«Ha! Ha!»

Als Frank losprustete, rief Papa «ER-WISCHT!».

«Ich finde eigentlich, deine schmutzige Unterhose hätte gereicht, um sie zu vertreiben», meinte Frank.

Papa sah nicht erfreut aus, dass Frank seine Unterwäsche schmutzig nannte, wo er sie erst letzten Monat gewaschen hatte. Er stellte sich hin, um sie zu untersuchen.

«Wessen Unterhose nennst du …? **Oje.**»

«Hör mal, Papa, lass uns am Sonntag in die Kirche gehen. Nur dieses eine Mal. Immerhin ist Vatertag. Und du hast doch nichts anderes vor, oder?»

«Am Sonntagmorgen? Nein, nein, nein. Keine Pläne.»

«Dann rufe ich Tante Flip an, ob sie uns ein besonderes Gedicht für den Vatertag schreibt.»

«Ja, ich kann's kaum erwarten», antwortete Papa in einem Ton, der besagte, dass er am allerliebsten den **Rest seines Lebens** darauf warten würde.

KAPITEL

17

PLATSCH!

In ihrer Wohnung gab es kein Telefon. Die Leitung war schon vor Jahren gekappt worden, weil Papa die Rechnung nicht bezahlen konnte. Papa war auch zu arm für ein Handy, darum mussten sie in die Telefonzelle gehen, wenn sie jemanden anrufen wollten. Das Problem war nur, dass sie keine Münzen besaßen. **Glücklicherweise wusste Frank, wo man Münzen herbekam.**

Im Park stand ein alter Brunnen. Die Leute nutzten ihn als Wunschbrunnen und warfen Münzen hinein, in der Hoffnung, dass ihre Träume in Erfüllung gingen. Frank und sein Vater hatten selbst schon viele Münzen hineingeworfen. Im Laufe der Zeit hatte sich Frank ganz verschiedene

Dinge gewünscht. Als er klein war, wünschte er sich Spielsachen zum Geburtstag, wie Modellautos, Autos zum Aufziehen, Gokarts, Lego-Autos, ferngesteuerte Autos. Einmal hatte er sich sogar ein richtiges Auto gewünscht. Das war natürlich etwas zu hoch gegriffen. Aber seit dem Unfall wünschte Frank sich immer nur Sachen für seinen Vater.

In letzter Zeit nutzten Frank und sein Papa den Wunschbrunnen mehr als Bank. Sie hatten in den letzten Jahren Münzen hineingeworfen (**Einzahlung**), und jetzt mussten sie wieder welche rausholen (**Abbuchung**). Es war nur schade, dass niemand Geldscheine hineinwarf. Aber sie würden genügend Münzen für einen Telefonanruf finden, und wenn Frank Glück hatte, war noch genügend übrig, um sich ein paar **Süßigkeiten** zu kaufen.

Als Vater und Sohn den Park betraten, sahen sie den Parkwächter, der verwundert das **Rolls-Royce-große Loch im Zaun** betrachtete.

«Morgen!», rief Papa mit seiner liebenswertesten Stimme.

Dann eilten sie beide in die Mitte des Parks, wo der Wunschbrunnen stand. Erst sahen sie sich gründlich um, ob die Luft rein war. Es war noch früh am Samstagmorgen, und die Stadt erwachte gerade erst, daher waren kaum Leute unterwegs. Als Nächstes schnallte sich Papa das Holzbein ab und hängte sich dann kopfüber in den Brunnen, wobei er sich mit dem gesunden Fuß am Rand festhakte. Dann kletterte Frank an seinem Papa herab und baumelte am Holzbein, das Papa festhielt. Auf diese Weise konnten sie den Boden des Brunnens erreichen.

«Bist du weit genug unten, Kumpel?», rief Papa nach unten. Seine Worte hallten in der **Dunkelheit**.

«Ja, Papa!»

Frank krempelte die Ärmel hoch und fuhr mit der Hand über den Brunnenboden. Als er eine Menge

Münzen in der Hand hielt, rief er: «Okay, Papa, zieh mich rauf!»

«Tut mir leid, dass wir uns auf diese Weise Geld besorgen müssen.»

«Nicht schlimm, Papa.»

«Das ist das letzte Mal, Kumpel.»

«Was meinst du damit?», fragte Frank.

Aber bevor sein Vater antworten konnte, dröhnte eine Stimme den Brunnen herab.

«WAS ZUR HÖLLE TUN SIE DA?!»

Vor Schreck verlor Papa den Halt, und Vater und Sohn fielen in das kalte Wasser.

«AAAHH!»

PLATSCH!

18

HOSE RUNTER!

«Hö! Hö! Hö!», kam die Stimme vom Brunnenrand.

Unten standen Frank und sein Vater **knietief** im Wasser. Papa wusste, wer da oben stand. Dieses Lachen würde er überall wiedererkennen. Es war **Oberwachtmeister Spötter**.

«Sieh an, sieh an. Wen haben wir denn da?»

Der Wachtmeister wusste genau, wen er da hatte. Er machte Papa schon seit Jahren das Leben schwer. Spötter warf ihm ständig kleine

Vergehen vor, und das nur, weil Papa arbeitslos war.

«Oh, hallo, **Wachtmeister!**», rief Papa hinauf.

«Oberwachtmeister!», bellte der Polizist. Das war ihm sehr wichtig. Da er nicht gerade die hellste Kerze auf der Torte war, hatte er zehn Jahre gebraucht, um vom Wachtmeister zum Oberwachtmeister befördert zu werden, und jetzt wollte er auch so genannt werden.

«Oberwachtmeister Spötter, **verstanden?»**

«Ja, Oberwachtmeister», antwortete Papa.

«Schon besser, Gilbert Goodie! Ich hätte wissen müssen, dass Sie es sind. Der einbeinige Rumtreiber. Der humpelnde Faulenzer. Jetzt klauen Sie also schon Münzen aus dem Wunschbrunnen, was? Nicht zu fassen!»

Der Oberwachtmeister drückte die Brust raus und strich sich die Haarsträhnen glatt, die er sich über den **kahlen Schädel** gekämmt hatte. Spötter wollte gern gut aussehen, wenn er jemanden verhaftete. Er räusperte sich wie ein Schauspieler, der die Bühne betritt, und sagte: *«Hiermit verhafte ich Sie wegen des Verbrechens verbotener Münzentnahme aus selbigem Wunschbrunnen.»*

«**Nein**», sagte Papa. «**Sie können mich nicht verhaften. Denn das habe ich nicht getan.**»

«Hö! Hö! Hö!»

Wieder hörte man sein grässliches Lachen.

«Nun, dann wüsste ich doch zu gern, was Sie sonst da unten machen.»

Papa sah seinen Sohn an. Ihm fiel nichts ein.

Franks Gedanken rasten. «Papa ist das Holzbein abgefallen», rief er hinauf.

«Ehrlich?», flüsterte Papa.

«Ja, es ist abgefallen. Wir sind durch den Park *gelaufen*, und dabei ist es einfach abgefallen.»

Der Polizist war nicht überzeugt.

«Hö! Hö! Hö! Das Bein ist also einfach abgefallen und dann wie durch Zauberhand durch die Luft gesegelt und direkt in den Brunnen, was? Sehr wahrscheinlich. Hö! Hö! Hö!»

So wie Oberwachtmeister Spötter es sagte, klang es wirklich sehr unwahrscheinlich.

«Nein, natürlich nicht», stimmte Frank zu.

«Worauf willst du jetzt hinaus, Kumpel?», flüsterte Papa.

«Ein Hund ist mit dem Bein weggelaufen!», setzte Frank fort. «Bestimmt hat er gedacht, es wäre ein Stock. Denn es ist ja auch aus Holz. **Und dann hat er es in den Brunnen fallen lassen.**»

«**Stimmt das?**», rief der Polizist.

«Ja», sagte Papa. «Und ich hoffe, Sie finden den Besitzer und geben ihm und diesem frechen Hund eine saftige Strafe. Und nun, **Oberwachtmeister Spötter**, würden Sie uns bitte hier raushelfen?»

Der Polizist seufzte und streckte den Arm in den Brunnen.

Frank kletterte auf die Schultern seines Vaters, und Wachtmeister Spötter zog ihn hoch. Papa und sein Holzbein heraufzuziehen, war viel schwieriger, doch der Junge hatte eine gute Idee.

«**Oberwachtmeister** Spötter?», sagte Frank.

«Ja, Junge?»

«Wir könnten Ihre Hose als Seil benutzen.»

«MEINE *HOSE??!*», polterte der Polizist.

«Ja, Sir. Wenn Sie sie freundlicherweise ausziehen würden, dann könnte ich sie in den Brunnen hängen.»

«Aber dann sieht doch jeder im Park meine Unterhose!», schrie der Polizist. **Das war doch Wahnsinn!**

«Falls Sie jemand sieht, dann nur als Held, Sir, der einen einbeinigen Mann vor dem Ertrinken in einem Brunnen gerettet hat!»

«Vielleicht werden Sie sogar befördert!», rief Papa von unten, während er sich die Taschen mit Münzen füllte.

Der Polizist überlegte einen Moment. Dann schaute er in die Ferne, und ein stolzer Ausdruck trat in sein Gesicht. «Versprichst du mir etwas?», fragte **Oberwachtmeister** Spötter.

«Ja», antwortete Frank.

«Versprichst du mir, absolut jedem davon zu erzählen? Und Unterschriften für eine Petition zu sammeln, damit ich die *Tapferkeitsmedaille* verliehen bekomme, und sie dem Oberinspektor zu geben?»

«Bestimmt bekommen Sie einen ganzen Haufen Medaillen!», sagte Frank.

Ohne länger zu zögern, knöpfte Spötter seine Hose auf und zog sie aus.

«KEINE ANGST!», rief der Polizist in der Hoffnung, dass die Leute im Park ihn hören würden, «Ich, Oberwachtmeister Spötter, werde Ihnen das Leben retten, und das mit Hilfe meiner eigenen Hose!»

Gemeinsam hängten er und Frank die Hose in den Brunnen, um Papa herauszuziehen.

«So habe ich, ein bescheidener Oberwachtmeister, einen Einbeinigen vor dem sicheren Tod bewahrt!», gab der Polizist lautstark bekannt.

«Danke», sagte Papa und lächelte seinem Sohn verstohlen zu, weil Frank diesen Mann, der ihm sonst immer das Leben schwermachte, überzeugt hatte, ihnen zu helfen.

Er setzte sich in seinen nassen Sachen an den Rand des Brunnens und befestigte wieder sein Holzbein.

Oberwachtmeister Spötter betrachtete das falsche Bein wie ein Meisterdetektiv. «Hmmm, ich kann gar keine Bissspuren erkennen.»

«**Nein**», antwortete Frank schnell. «**Der Hund hatte keine Zähne.**»

«Ein Hund ohne Zähne?», fragte der Mann ungläubig.

«Das wird es Ihnen leichter machen, den Hund ausfindig zu machen», meinte Papa. «Bestimmt wollen Sie nicht, dass sich noch mal ein Hund mit einem falschen Bein davonmacht. Das könnte direkt ausarten.»

«Nein», antwortete der Polizist, «sicher wollen wir keine weiteren Prothesendiebstähle durch Vierbeiner», fügte er hinzu.

«Wenn Sie uns jetzt entschuldigen wollen, wir

haben einen wichtigen Termin in einem Süßigkeitenladen», sagte Papa. «Komm, Kumpel.» Und er legte seinem Sohn den Arm um die Schulter und ging mit ihm los.

Nach ein paar Schritten rief ihnen der Polizist hinterher: «Ich habe Sie im Auge, Gilbert Goodie!»

Und ohne langsamer zu werden, rief Papa über die Schulter zurück: «Gut zu wissen, Wachtmeister.»

«Oberwachtmeister!», brüllte der Polizist, der in Unterhose mitten im Park stand.

Vater und Sohn lächelten sich verstohlen zu, während sie aus dem Park gingen. Frank bemerkte, dass es nicht nur in Papas Hose klimperte, sondern dass er sich auch irgendetwas unter den Pulli gestopft hatte.

«Was ist das?», wollte er wissen.

Papa zog den Pulli hoch und zeigte es ihm. «**Oberwachtmeister** Spötters Hose!»

«PAPA!», sagte Frank und prustete los.

«Ich weiß, das war wirklich sehr, **sehr ungehörig!** Aber jetzt wollen wir Tante Flip anrufen.»

«Und Süßigkeiten kaufen!»

KAPITEL

19

EINE WARNUNG

Was hat Tante Flip gesagt?», fragte Papa. Er hatte vor der Telefonzelle gewartet, während Frank telefonierte.

«Was glaubst du wohl?», antwortete Frank und verdrehte die Augen.

«Ja?»

«Ja! Ein Gedicht für die Kirche schreiben! Das war schon immer ihr Traum. Und schau», sagte der Junge und öffnete die Hand. «Wir haben immer noch genug für Süßigkeiten übrig.»

«Dann geh schon mal los. Ich komme nach», sagte Papa.

Der Kiosk mit den Süßigkeiten lag nur ein paar Meter weiter die Hauptstraße entlang.

Papa schien unruhig, als müsste er irgendwohin.

«Alles in Ordnung, Papa?»

«Ja, Kumpel, alles gut. Sehr gut. Ich komme gleich hinterher.»

Und damit drehte er sich um und humpelte die Straße runter.

«Wohin willst du denn, Papa?», rief Frank ihm nach.

«Nirgendwohin!»

«Du kannst nicht nirgendwohin gehen. Du musst irgendwohin gehen …»

Doch bevor Frank den Satz zu Ende sprechen konnte, war sein Vater schon um eine Straßenecke verschwunden. Frank schüttelte den Kopf. Das war sehr merkwürdig. Trotzdem lief er, immer noch tropfnass vom Brunnenklettern, weiter zum Kiosk.

DING!

Die Türklingel bimmelte, als Frank den beliebten Laden von Raj betrat. Raj selbst war ein großer, runder und fröhlicher Mann, der vermutlich mehr von seinen eigenen Süßigkeiten aß, als er verkaufte.

«Ah! Mein etwas nasser Lieblingskunde! Willkommen!», sagte Raj. Zu Franks Überraschung kniete der Kioskbesitzer auf dem Boden, wo er Süßigkeiten aufklaubte und sie zurück auf die Regale legte.

Frank sah sich im Laden um. Hier war es selten aufgeräumt, aber jetzt sah es aus, als hätte eine **BOMBE** eingeschlagen. Magazine lagen auf dem Boden verstreut, Bleistifte waren zerbrochen, und die Eistruhe war umgestoßen. Geschmolzenes Eis war herausgefallen und bildete eine bunte Pfütze.

«Was ist denn hier passiert, Raj?», fragte Frank.

«Ach, nichts», antwortete Raj hastig. «Gar nichts. Zerbrich dir nicht deinen kleinen Kopf deswegen, Junge.»

Raj versuchte hastig, alles wieder ungefähr an seinen Platz zu legen. In der Hektik rollte ein großes Plastikgefäß mit Bonbons vom Regal und knallte ihm auf den Kopf.

BOING!

Das Gefäß zerbrach, und Raj wurde von einer zuckrig weißen Wolke eingehüllt. Der arme Raj ließ verzweifelt den Kopf hängen.

Frank setzte sich neben ihn. Er legte Raj den Arm um die Schultern. «Bitte sag es mir, Raj. Was ist passiert?»

«Es sind diese zwei Männer. Der eine ist **dick und fett**, der andere ist **lang und dünn**. Sie gehen in alle Läden und Geschäfte und verlangen Geld. Wenn man ihnen keins zahlt, dann verwüsten sie alles. Ich habe ihnen schon hundert Pfund gegeben, aber sie haben gesagt, beim nächsten Mal wollen sie mehr. Viel mehr. Sie haben gesagt, das soll mir eine Warnung sein. Beim nächsten Mal wäre *ich* dran.»

«Ich glaube, ich kenne die beiden. Finger und Däumling.»

«Ja, das sind sie!»

«Warum rufst du nicht die Polizei?»

Raj schüttelte betrübt den Kopf. «Die Männer haben gesagt, sie werden meiner Familie etwas antun, wenn ich sie anzeige. Ich weiß einfach nicht, was ich tun soll!»

«Ich helfe dir erst mal beim Aufräumen.»

Gemeinsam bemühten sich die beiden, Ordnung in den Kiosk zu bringen. Frank warf dabei einen Blick auf die Titelseiten der Zeitungen, die auf dem Boden **herumlagen**. Da stand:

«Ich frage mich, ob die beiden damit auch was zu tun haben», meinte Raj.

Frank zuckte die Schultern. «Wer weiß? Aber es

muss doch eine Möglichkeit geben, sie aufzuhalten!»

«Dafür muss man sehr mutig sein. Die beiden sind durch und durch böse. Sie **TERRORISIEREN** arme Ladenbesitzer wie mich schon seit Jahren. Ich will mir gar nicht vorstellen, zu was die alles fähig sind.»

Schließlich stellten die beiden noch die Eistruhe auf. Raj schöpfte das geschmolzene Eis mit einer aufgerollten Zeitung auf.

«Willst du einen Milchshake, junger Mann? Nur fünf Pence.»

20

SIEBEN PENCE

Nein danke, Raj», antwortete Frank.

«Auch gut.» Raj kippte sich den ‹Milchshake› selbst in den Mund. «Mmm, ein bisschen sandig», meinte er.

Frank betrachtete die Münzen, die er aus dem Brunnen mitgenommen hatte. «Raj, was kann man mit sieben Pence kaufen?»

Plötzlich änderte sich Rajs Stimmung, und er strahlte.

«Sieben Pence! Ich habe immer von dem Tag geträumt, an dem jemand durch diese Tür kommt und sieben Pence bei mir ausgibt! Ich bin ein reicher Mann!» Raj blickte zum Himmel. «Danke! Es gibt einen

Gott! Nimm dir Zeit. **Fühl dich ganz wie zu Hause.»**

Obwohl Frank arm war, behandelte Raj ihn immer wie einen *Prinzen*.

«Danke, Raj. Mmm …», überlegte Frank. «Ich glaube, ich fange mit drei **SCHOKOBANANEN** an.»

«Sehr gute Wahl, junger Mann! **Und so gesund.»** Raj schaute aus dem Fenster. «Ah, da geht dein Vater, Mr. Goodie!»

Frank sah hoch. Sein Vater eilte mit einem Benzinkanister in der Hand die Straße entlang.

«Kommt er nicht rein?», fragte Raj.

«Ich weiß nicht. Irgendwas stimmt heute nicht mit ihm», sagte Frank.

Raj sah auf einmal erschrocken aus. «Ich weiß, dass der Karamellbonbon, den ich dir letzte Woche gegeben habe, schon ein paar Jahre abgelaufen war, aber bisher mussten nur drei Leute deswegen ins Krankenhaus.»

«Das ist es nicht», antwortete Frank.

«Er geht so komisch. Ich dachte, vielleicht würde ihm auch der Hintern **explodieren**, wie bei den anderen.»

«Nein, er geht komisch, weil er nur ein Bein hat.»

«Wegen dem Karamell ist ihm ein Bein abgefallen?!» Raj sah wieder zum Himmel und faltete die Hände. «Lieber Gott, sei mir gnädig. Ich bin kein schlechter Mensch. Ich richte mich einfach nur so ungefähr nach dem Verfallsdatum und runde es bis zum nächsten Jahrzehnt auf!»

Frank schüttelte lächelnd den Kopf. Er liebte Raj wie einen Onkel, einen verrückten alten Onkel.

«Nein, nein, nein, Raj, mein Papa hatte vor Jahren einen schlimmen Unfall beim Autorennen. Weißt du noch?»

«Oh, ja, ja, natürlich, ich erinnere mich. Gott sei Dank», antwortete Raj. «Also, natürlich nicht Gott sei Dank. Ich bin bloß erleichtert, dass nicht mein Karamellbonbon dafür verantwortlich ist, dass er sein Bein verloren hat.»

«Wieso haben Eltern eigentlich immer Geheimnisse vor ihren Kindern?», fragte Frank.

Der Kioskbesitzer beugte sich nachdenklich über den Tresen. Um noch nachdenklicher auszusehen,

nahm er eine der Spielzeugpfeifen vom Regal und *schob* sie sich in den Mund. Doch statt Rauch auszustoßen wie bei Sherlock Holmes, kamen aus dieser Pfeife **Seifenblasen**.

«Ich vermute, Eltern wollen ihre Kinder vor manchen Dingen beschützen. Vor Erwachsenendingen, um die Kinder sich zu viele Sorgen machen würden.»

«Ich bin erwachsen!», protestierte Frank und stellte sich auf die Zehenspitzen.

«Wie alt bist du?», fragte Raj.

«Beinahe **zwölf**.»

«Also elf.»

«Ja.»

Raj schüttelte den Kopf und blies eine
große schillernde **Seifenblase** aus
seiner Pfeife.

Die beiden lächelten sich an, doch plötzlich
hörten sie draußen auf der Straße einen ohren-
betäubenden Lärm.

BROOAAAM!

Frank würde dieses Geräusch
überall wiedererkennen.

Es war *QUEENIE!*

KAPITEL

21

KOTZFARBEN

Papa hatte seinen aufgemotzten Mini *«QUEENIE»* getauft, weil **QUEENIE** mehr wie eine alte Dame war als ein Auto. Sie war vor über fünfzig Jahren gebaut worden. Gilbert musste den Wagen oft dazu überreden zu tun, was er wollte. Er sagte zum Beispiel «Komm schon, **QUEENIE**, wach auf», wenn er den Motor anstellte. Wenn sie Öl brauchte, sagte er *«QUEENIE*, meine Liebe, ich spendiere dir einen Drink». Wenn er den Wagen wusch, sagte er «Zeit für dein Bad, altes Mädchen». Papa liebte den Wagen, als wäre er ein Familienmitglied. Und als er nach seinem Unfall aus dem Krankenhaus kam, machte er sich die meisten Sorgen darum, dass **QUEENIE** noch schlimmer dran sein könnte als er.

Nach dem Unfall sah **QUEENIE** wirklich ziemlich mitgenommen aus. Papa hätte wohl ein paar Pfund für ihre **EINZELTEILE** bekommen, doch dafür liebte er sein altes Mädchen viel zu sehr. Und so rosteten die Überreste von **QUEENIE** irgendwo in einer Garage im Gewerbegebiet.

Frank liebte **QUEENIE** beinahe ebenso sehr, wie es sein Vater tat. Das Auto hatte einen ganz eigenen Geruch und ein besonderes Motorengeräusch. Und Frank hatte geglaubt, dass er dieses Geräusch niemals wieder hören würde. Doch als er nun in Rajs Laden stand und immer noch überlegte, wofür er seine **sieben Pence** ausgeben sollte, hörte er auf der Straße genau dieses Geräusch.

BROOAAAM!

«QUEENIE?», sagte Frank und schaute suchend auf die Straße hinaus.

«Die Königin ist draußen?», fragte Raj. «Sie muss von meinem Sonderangebot gehört haben: **Staub aus dem All.**»

«**Nein!** Papas altes Rennauto heißt **QUEENIE**!»

Raj nickte. «Ja, natürlich. Das klang wirklich ganz nach ihr.»

«Ich weiß!»

DING!

Frank *lief* hinaus auf die Straße.

Dort fuhr tatsächlich ein Mini, doch *so schnell*, dass Frank nicht erkennen konnte, wer am Steuer saß.

Er klang zwar ganz genau wie **QUEENIE**, aber konnte es nicht sein, denn das Auto hatte eine ganz andere Farbe. **QUEENIE** war mit der englischen Fahne bemalt und deshalb schon von weitem zu erkennen. Und dieser Mini hier war nicht rot, weiß und blau, sondern eklig gelb. Papa wäre niemals in ein Auto gestiegen, das die Farbe von Kotze hatte.

Raj rannte aus dem Laden.

«War sie das?», fragte der Kioskbesitzer.

«Nein. Kann nicht sein», antwortete Frank. «Es war die falsche Farbe. Außerdem rostet **QUEENIE** in irgendeiner Garage vor sich hin.»

«Queenie war ein ganz besonderes Auto.»

«Ich habe sie geliebt.»

«Das haben wir alle.» Raj legte Frank die Hand auf die Schulter. «Sei nicht traurig. Denk an die guten Sachen.»

«An was denn?», fragte Frank und schaute zu Raj hoch.

«Du hast immer noch ganze **vier Pence**, die du in meinem Laden verprassen kannst!»

Zwanzig Minuten später hatte Frank immer noch einen ganzen Pence übrig. Er kaufte so selten Süßigkeiten, dass er das Erlebnis gern in die Länge ziehen wollte.

«Mmm, was soll ich noch nehmen, Raj? **Eine rosa Krabbe?**»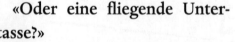

«Die wurden heute Morgen erst geangelt.»

 «Oder eine fliegende Untertasse?»

 «Die schmecken einfach außerirdisch.»

DING!

«Papa!», rief Frank, als sein Vater in den Laden kam.

«Bist du fertig, Kumpel?»

«Nicht ganz», antwortete Frank.

«Er hat noch einen ganzen Pence übrig», fügte Raj hinzu.

Papa humpelte zu den losen Süßigkeiten hinüber. Er griff nach der nächsten, einer Gummi-Colaflasche, und ließ sie in Franks Tüte fallen.

«Die mag ich aber gar nicht», beschwerte sich Frank.

«Jetzt diskutier bitte nicht. Wir müssen los», sagte Papa kurz angebunden. «Danke, Raj!»

«Wissen Sie, Mr. Goodie, wir könnten schwören, wir hätten **QUEENIE** vorhin die Straße runterbrausen hören!», rief der Kioskbesitzer.

Papa sah *unbehaglich* aus. «Wirklich? Nun, da irren Sie sich.»

KAPITEL

22

VERTRAUEN

Von Rajs Laden bis zu ihrer Wohnung war es nur ein kurzer Weg. Sobald sie zu Hause waren, schien Papa es furchtbar **eilig** zu haben, seinen Sohn ins Bett zu bringen. Er öffnete ihre letzte Dose gebackene Bohnen und stand neben Frank, während er aß. Dann war es Zeit für Franks ‹Bad›, was bedeutete, dass Frank einmal in einem alten Ölfass mit Wasser untertauchte und **schmutziger** herauskam als vorher, wonach er sich mit einem fleckigen alten Geschirrhandtuch abtrocknete. Der beste Teil am Zubettgehen war immer die Gutenachtgeschichte. Da sie keine Bücher mehr besaßen, dachte Papa sich immer Geschichten für seinen Sohn aus. Und weil Papa Autos liebte, ging es in den Geschichten immer um Motorengeheul, den Geruch von **brennenden** Reifen und um Drehzahlmesser, die schon im roten Gefahrenbereich lagen.

«Tut mir leid, Kumpel, aber heute gibt es keine Geschichte. Es ist schon spät.»

«Aber es ist doch noch ganz früh, Papa.»

«Du bist müde.»

«Ich bin hellwach!»

«Du bist schon zu alt für Geschichten.»

«Ich bin erst elf!»

«Beinahe zwölf.»

«Aber immer noch elf. Komm schon, Papa. In der Zeit, die wir jetzt reden, hättest du mir schon längst eine Geschichte erzählen können.»

Papa seufzte. «**Es war einmal** ein Rennwagen, der hieß **Rakete. Rakete schoss** an allen anderen Rennwagen vorbei und gewann das Rennen. **Ende.**»

Frank starrte seinen Vater an. **«Das war's?»**

«Was meinst du damit, ‹das war's›?»

«Ich meine, das war doch keine Geschichte!»

«Doch.»

«Nein!»

«Wieso nicht?»

«Sie ist viel zu kurz! Es war einmal das Ende! Das ist doch keine Geschichte! Das ist Müll!»

Papa gefiel es gar nicht, dass Frank so mit ihm redete. «Also gut. Marsch ins Bett mit dir!»

«Neeeiiiin!»

«Doch! Mach schon.»

Papa legte seinem Sohn die Hände auf die Schultern und **steuerte** ihn wie ein Auto in sein Zimmer.

«Zieh den Schlafanzug an und geh ins Bett. Ich meine, auf die Luftmatratze. Du weißt, was ich meine. Du musst jetzt brav sein und sofort einschlafen.»

Frank sah zum Vorhang. Es war nicht wirklich ein Vorhang, eher Stücke aus Pappe, die ins Fenster geklemmt worden waren. Um die Ränder schimmerte Licht herein. Es musste noch ganz früh am Tag sein.

«Wie spät ist es, Papa?»

«Weiß ich nicht», log sein Vater.

Das kam Frank sehr seltsam vor, denn Papa hatte zuvor ständig auf die Uhr gesehen.

«Dann schau doch auf deine Uhr.»

«Ach ja», antwortete Papa. Er betrachtete das Ziffernblatt eine Weile. «Schlafenszeit.»

«Das ist nicht fair!»

«Tante Flip wird gleich hier sein. Ich möchte, dass du jetzt einschläfst.»

«Wieso kommt sie denn?», wollte Frank wissen.

«Ich muss noch mal schnell weg.»

«Wohin?»

«Ich schaue mir das Stockcar-Rennen an.»

«Kann ich mitkommen?»

«Nein. Es dauert zu lange. Bitte, Kumpel, schlaf jetzt ein.»

KLOPF! KLOPF!

«Das ist Tante Flip. Wenn du nicht willst, dass sie dir eins ihrer Gedichte vorliest, dann solltest du jetzt einschlafen. Also, gib mir noch einen *Knuddler*, Kumpel.»

Papa kniete sich hin, und die beiden umarmten sich.

«Papa?»

«Ja.»

«Ich hab Angst.»

«Wovor denn?»

«Ich weiß nicht. Irgendwas fühlt sich komisch an.»

KLOPF! KLOPF!

«ICH KOMME! Morgen früh ist alles wieder gut, Kumpel.» Papa küsste seinen Sohn auf die Stirn. «Vertrau mir.»

Und damit ging er aus dem Zimmer und zog die Tür hinter sich zu.

Aber an diesem Abend vertraute Frank seinem Vater nicht. Nicht ein bisschen.

EINKAUFSWAGEN

Frank lag ganz still auf seiner Luftmatratze und hörte, wie Papa und Tante Flip sich im Wohnzimmer unterhielten. Nach ein paar Minuten öffnete sich Franks Tür ein Stück, und Papa spähte hinein. Frank presste die Augen fest zu und tat so, als ob er schliefe.

«Tut mir leid, Kumpel», flüsterte Papa, «aber ich hab keine Wahl. Ich muss es tun. Für uns.»

Frank öffnete das eine Auge ein winziges Stück und sah seinen Vater im Türrahmen stehen. Er trug sein altes Rennfahrer-Outfit. Frank hatte gedacht, er würde seinen Vater nie wieder darin sehen. Es war ein rot-weiß-blauer Overall, den er seit seinem Unfall nicht mehr getragen hatte. Er war ganz **zerknittert**, **SCHMIERIG** und spannte am Bauch, weil Papa zugenommen hatte. Frank wusste sofort, dass Papa irgendetwas Ungutes vorhatte. **Er musste rausfinden, was es war.**

Als Nächstes hörte Frank, wie sich die Haustür öffnete.

KLICK!

Sobald er sie zuschnappen hörte …

KLACK!

… sprang Frank auf und legte wieder einen ausgestopften Schlafanzug aufs Bett, für den Fall, dass Tante Flip ins Zimmer guckte. Er steckte die Füße in seine Hausschuhe, wobei er in der Eile den linken Fuß in den rechten Schuh steckte und umgekehrt. Im Wohnzimmer hörte er Tante Flip ein neues Gedicht komponieren:

«Dein Anblick macht mich ja ganz wuschig,
deine Augenbrauen sind so schön buschig –»

«Das ist genial!»

Heute hatte Frank keine Zeit darauf zu warten, dass seine Tante aufs Klo ging. Er beschloss, sie stattdessen abzulenken. Leise kroch er in die Küche und drehte den Wasserhahn auf.

Dann versteckte er sich hinter der Tür. Schon taperte Tante Flip in die Küche.

«Seltsam», murmelte sie und ging zur Spüle, um den Hahn zuzudrehen. «Ich hoffe, hier spukt es nicht! Gespenster machen mir immer Gänsehaut!»

Das war seine Chance: Frank **drückte** sich um die Küchentür, **lief** den Flur entlang und **öffnete** die Tür.

KLICK!

Schnell zog er sie hinter sich zu und spähte draußen auf dem Gang am Haus über das Geländer hinunter auf den Fußweg. Von hier oben aus dem neunundneunzigsten Stock sah sein Vater aus wie ein winziger **Punkt**, der sich über den Parkplatz bewegte. Frank rannte ins Treppenhaus, sprang in den Wäschekorb und schoss die Treppe hinunter.

BOING!
BOING!
BOING!

Als er unten ankam, sah er gerade noch, wie sein Vater zu einem Rolls-Royce hinüberhumpelte. Der letzte war weiß gewesen, aber dieser war **silbern**. War es trotzdem dasselbe Auto? Der Mo-

tor lief. Diesmal saß Finger hinter dem Lenkrad und der kleine Mr. Big neben ihm. Der große Däumling hockte auf dem Rücksitz. Er war so schwer, dass sich das Auto zur Seite neigte.

«Sie sind spät dran!», fauchte Mr. Big.

«Entschuldigung, Boss», antwortete Papa.

«Steigen Sie ein! Und tun Sie, was wir sagen, sonst gibt's Ärger.»

Papa stieg ins Auto, und der Rolls-Royce schoss davon.

BRRRUUUMMM!

Frank fühlte sich, als hätte ihm jemand fest in den Magen geschlagen. Sein Vater hatte ihn angelogen. Er wollte mit diesen BÖSEN, BÖSEN MÄNNERN irgendetwas Schlimmes anstellen. Er musste seinen Vater aufhalten, bevor es zu spät war, aber es gab ein **Problem**. Wie sollte er zu Fuß einem Auto folgen? So schnell konnte er nicht laufen. Frank sah einen Einkaufswagen im Gras liegen. Er stellte ihn hin, dann schob er ihn wie einen Schlitten an und sprang hinein.

SAUSSS!

Wie durch ein Wunder war dieser Einkaufswagen der einzige Einkaufswagen auf der Welt, dessen Räder nicht wackelten. Er schoss die Straße entlang und an einer alten Dame vorbei, die in ihrem kleinen Käfer vor sich hin tuckerte. Frank erkannte seine Chance und hielt sich am Auto fest.

Der Rolls-Royce fuhr **nur ein paar Wagen** vor ihnen.

Die Ampel wurde rot, und alle Autos wurden langsamer. Frank stieß sich vom Käfer ab, um näher an den Rolls-Royce zu kommen. Um nicht gesehen zu werden, duckte er sich im Einkaufswagen. Gerade als die Ampel auf **Grün** sprang, packte er den Kofferraumgriff vom Rolls-Royce. Als der Wagen *losfuhr*, hing Frank hintendran.

BRRRUUUMMM!

Es wurde Abend. Nach ein paar Minuten bog der Rolls-Royce in ein Industriegebiet ein. Die Straße hatte Schlaglöcher, und Frank wurde in seinem Einkaufswagen durchgerüttelt.

RUMMS!
RUMMS!
RUMMS!

Als er merkte, dass der Rolls langsamer wurde, ließ er den Griff los. Der Einkaufswagen hatte keine Bremsen; er holperte in ein Schlagloch und kippte um.

BÄNG!

Frank fiel in eine Hecke.

PARDAUZ!

«Uff!»

Frank war in dem umgekippten Einkaufs-wagen eingesperrt. Er schob ihn von sich weg, zupfte seinen Schlafanzug von den Zweigen und versteckte sich hinter einem ausgebrann-ten alten Burgerwagen. Er beobachtete, wie die vier Männer aus dem Rolls-Royce stiegen und sich umsahen. Da es Samstagabend war, war das Industriegebiet menschenleer.

Ein rostiges altes Garagentor öffnete sich quietschend, und während Mr. Big draußen ste-hen blieb, verschwanden die anderen drei Män-ner in seinem Inneren.

BROOAAAM!

Da war es wieder, das magische Geräusch.

Dann **schoss** der gelbe Mini aus der Garage und blieb nur ein paar Zentimeter von Mr. Bigs Fuß stehen.

«Dieser Schrotthaufen soll das Fluchtauto sein?», schnarrte der Verbrecherboss.

«Vertrauen Sie mir, Mr. Big», antwortete Papa. «Ihr Name ist **QUEENIE**. Ich habe sie mit meinen eigenen Händen repariert. **Und sie ist das beste Rennauto der Welt!**»

KAPITEL 24

MONSTER AUS DER TIEFE

Frank konnte nicht fassen, dass sein Vater **QUEENIE** wieder zusammengebaut hatte, ohne ihm etwas davon zu sagen. **Noch mehr Geheimnisse. Noch mehr Lügen.** Er vermutete, dass der gelbe Lack nur als Tarnung diente. **QUEENIE** war einmalig. Und einen Mini mit der britischen Fahne auf dem Dach hätte die Polizei sofort erkannt.

Kurz darauf kamen die beiden Komplizen von Mr. Big aus der Garage. Sie hielten Eisenstangen in ihren Händen und hatten sich Damenstrumpfhosen über den Kopf gezogen. Finger und Däumling waren normalerweise schon keine Schönheiten, aber jetzt mit plattgedrückter Nase sahen sie aus wie **MONSTER AUS DER TIEFE**.

Frank musste unbedingt allein mit seinem Vater reden, um ihn zu überreden, sofort aus diesem Wahnsinn auszusteigen. Als Erstes musste er die anderen Männer ablenken. Neben Franks Fuß lag eine zerbeulte Cola-Dose. Er warf sie hoch in die Luft, damit sie neben Mr. Bigs Füßen landete. Aber stattdessen landete sie auf Mr. Bigs Kopf.

BOING!

«AU!», schrie der Verbrecherboss. «WIR WERDEN ANGEGRIFFEN!»

Das war eine viel größere Ablenkung, als Frank beabsichtigt hatte.

Finger und Däumling *rannten* sofort hierhin und dorthin und fuchtelten mit ihren Eisenstangen herum, als wollten sie in eine Schlacht ziehen. Sie schlugen auf alles ein, was ihnen in die Quere kam – Büsche, Mülleimer, sogar auf den ausgebrannten Burgerwagen –, um denjenigen aufzuscheuchen, der ihrem geliebten Boss weh getan hatte.

Frank nutzte das Durcheinander und krabbelte auf allen vieren zum Mini, wo er sich in den winzigen Kofferraum quetschte. Dann zog er die Klappe zu.

KLICK!

Er verhielt sich ganz still, damit er hören konnte, was die Männer sagten.

«Wir finden niemanden, Boss», sagte Finger.

«Wir haben alles durchkämmt», fügte Däumling hinzu.

«DIE MÜSSEN SICH HIER IRGENDWO VERSTECKEN!»,

brüllte Mr. Big.

«Vielleicht war's ja 'ne Ratte», meinte Däumling.

«EINE RATTE SOLL MICH MIT EINER COLA-DOSE BEWORFEN HABEN?», schrie Mr. Big.

«'ne große Ratte, Boss? Eine von diesen Superratten?», schlug Däumling vor.

«SIE HAT MEINEN KOPF GETROFFEN, DU TROTTEL!»

«Vielleicht saß die Ratte ja auf dem Rücken von 'ner Taube!»

«FAHRT ENDLICH LOS!», brüllte Mr. Big. «HOLT MIR DIE BEUTE. SONST GIBT'S ÄRGER.»

«Wird gemacht, Boss», antwortete Finger.

Die Türen des Minis öffneten sich, und Frank spürte, wie der Mini durch das Gewicht der beiden Männer ein Stück tiefer sackte.

BRRRUUUMMM!

Der Motor *heulte* auf, und die Hinterreifen quietschten. Dann *schoss* der Wagen voran, und Frank wurde gegen den Kofferraumdeckel gepresst ...

«Uff!»

... während **QUEENIE** in die Nacht hinausfuhr.

KAPITEL

25

BUMM!

WROOAAAM!

Frank wurde auf der wilden Fahrt im Kofferraum hin und her geschleudert wie ein Sack Kartoffeln. Schließlich kam das kleine Auto zum Stehen.

QUIIIEE*ETSCH*!

Frank fühlte sich etwas schwindelig und hatte keine Ahnung, wo sie waren. Er wusste nur, dass sein Vater einen Fluchtwagen fuhr, aber *wovor* sie flüchten mussten, das war ihm ein Rätsel. Er legte sein Ohr an die Kofferraumklappe und lauschte.

Erst öffnete sich die Beifahrertür.

KLICK!

Dann hörte man Schritte.

TAPP. TAPP. TAPP.

Kurz darauf hörte man eine Explosion.

Eine Sirene ging los.

SCHRILL!

Dann hörte er Finger schreien: **«Los! Wir haben nur fünf Minuten, bis die Bullen da sind!»**

Frank musste sehen, was vor sich ging.

Er drückte die Klappe ein Stück hoch …

KLICK!

… und linste hinaus.

Überall war schwarzer Rauch von der Explosion, doch als er sich verzogen hatte, konnte Frank ein Schild sehen:

BANK.

B UM! MM

Frank war zwar erst elf (beinahe zwölf), doch nun steckte er mitten in einem echten Banküberfall. Plötzlich hatte er Angst, und nicht nur um sich selbst, sondern auch um seinen Vater. Wenn die Polizei ihn schnappte, dann würde Papa für viele Jahre ins Gefängnis müssen. Frank kletterte aus dem Kofferraum und kroch neben das Auto. Dann reckte er den Kopf zum Fenster an der Fahrerseite.

«AAAH!», schrie Papa, als er seinen Sohn entdeckte. Er kurbelte das Fenster runter. «Was machst du hier?», fragte er.

«Was machst *du* hier?», sagte Frank.

«Ich habe zuerst gefragt!», fauchte Papa.

«Ich hab mir Sorgen gemacht. Da bin ich in den Kofferraum geklettert. Ich wollte nicht, dass du irgendwas Dummes machst.»

«Was ist denn dümmer, als in einen Kofferraum zu steigen?»

«Eine Bank auszurauben?», sagte Frank.

«Wir rauben **keine** Bank aus», antwortete Papa.

«Was macht ihr denn?»

«Finger und Däumling holen sich nur ihre Kontoauszüge.»

«Und dafür müssen sie die Tür sprengen?»

«Es ist Samstagabend. Sie haben nicht daran gedacht, dass die Bank zu ist.»

Frank verdrehte die Augen. «Hör zu, Papa, ich bin vielleicht noch ein Kind, aber ich bin nicht blöd. Ich weiß genau, was ihr hier macht. Und jetzt musst du uns hier wegbringen. *Schnell.*»

«Das kann ich nicht», antwortete Papa.

«Warum nicht?»

«Das sind BÖSE Menschen, Frank. Die können SCHLIMME Dinge tun. Mit mir. Und mit dir.»

«Dann lass uns wegfahren und immer weiter und weiter und niemals anhalten!»

«Sie würden uns finden!»

In diesem Moment kamen Finger und Däumling aus der Bank gerannt. Sie trugen einen braunen, halb offenen Koffer, aus dem Fünfzig-Pfund-Noten flatterten wie Schmetterlinge in der Luft.

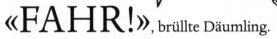

«FAHR!», brüllte Däumling.

Als Finger das Kind neben dem Auto entdeckte, schrie er: «Was zur Hölle macht das Gör da?»

«Das kenne ich gar nicht», sagte Papa. «He, Kind, hau ab!»

Finger betrachtete Frank genauer. «Der sieht genau aus wie du.»

«Der Arme», antwortete Papa.

«Das ist doch dein Sohn!»

Papa schaute noch mal zu Frank. «Ach ja, stimmt, das ist er.»

«Also, was macht er hier?», fragte Däumling.

«Ich dachte, heute ist Girls-and-Boys-Day, und alle bringen ihre Kinder mit», antwortete Papa und hoffte offenbar, sie mit einem Witz rumzukriegen. Aber er irrte sich, denn die beiden Verbrecher funkelten Papa **wütend** an.

TATÜ-TATA! TATÜ-TATA!

Es blieb keine Zeit mehr für Erklärungen, ein Polizeiwagen raste die Straße hinunter auf sie zu.

«Die Bullen!», schrie Finger. «Los!»

Finger und Däumling sprangen in den Mini.

«KUMPEL! STEIG EIN!», rief Papa und ließ den Motor aufheulen.

«Wie denn?», fragte Frank.

«SPRING!»

Der Polizeiwagen kam immer näher.

TATÜ-TATA! TATÜ-TATA!

Queenies Motor heulte noch mal.

BROOAAAM!

Die zwei Männer auf dem Rücksitz fingen an zu schreien.

«LASS DEN DUMMKOPF HIER!»
«DIESE KLEINE RATTE!»

«KUMPEL! SPRING REIN!», bat Papa.

Und so sprang Frank mit dem Kopf zuerst ins Auto. Der Motor jaulte auf, und **QUEENIE** schoss die Straße hinab, während Franks Hintern noch aus dem Fenster ragte.

KAPITEL 26

VERFOLGUNGSJAGD

Halte niemals deinen Hintern aus einem Autofenster.

Falls du deinen Hintern aus irgendeinem Grund unbedingt aus dem Autofenster halten *musst*, dann solltest du wenigstens etwas Wärmeres tragen als einen Schlafanzug. Ansonsten besteht die Gefahr, dass du den sogenannten 〈HINTERNFROST〉 erleidest. Das ist ein Zustand, bei dem die Hinterntemperatur eines Menschen gefährlich tief sinkt. In besonders schlimmen Fällen sollen eingefrorene Hintern *gesprungen* oder sogar abgefallen sein.

HINTERNFROST kann man sich zulegen, wenn man …

sein großes Geschäft in einem Iglu erledigt …

seinen Hintern in einen Tiefkühlschrank hält …

versucht, einen Schneemann nur durch die Wärme seines nackten Hinterns zum Schmelzen zu bringen …

versucht, am Nordpol einen Eisbären zu fangen, und seinen Hintern als Lockmittel einsetzt …

auf seinem nackten Hintern Schlitten fährt …

sich aus Versehen auf
einen Eiszapfen setzt …
(das kann auch ziemlich
schmerzhaft sein, falls der
Eiszapfen spitz ist)

seinen Hintern
schockgefriert, um ihn
für zukünftige Generati-
onen zu konservieren …

einen Eisberg mit
einem gemütlichen Sofa
verwechselt …

unter einer wild gewordenen
Softeismaschine feststeckt …

Franks Hintern wurde gefährlich kalt, als **QUEENIE** auf der Jagd vor der Polizei durch die Stadt *raste*. Papa zog seinen Sohn ins Auto, und Frank **krabbelte** über seinen Schoß und neben Däumling auf den Rücksitz.

Der Gorilla von einem Mann **starrte** den kleinen Jungen an.

«Guten Abend?», sagte Frank, weil er nicht wusste, was er sonst sagen sollte.

«Nein, ist es nicht», antwortete der große Mann. Däumling starrte durch das Rückfenster hinaus.

Aus einem Polizeiwagen waren drei geworden. Und sie kamen immer näher.

TATÜ-TATA! TATÜ-TATA!

«Wirf den Jungen raus», befahl Däumling. «Sein Gewicht macht uns langsam.»

«Ehrlich gesagt glaube ich, dass Sie ein **winziges** bisschen mehr wiegen als ich», meinte Frank.

Falls er glaubte, damit zur Erheiterung beizutragen, so ging das schön daneben.

«Nennst du mich etwa fett?», knurrte Däumling.

«Nein, aber Sie wiegen schon mehr als ich.»

«Hört auf, euch dahinten zu streiten», befahl Finger.

«Er hat angefangen!», antwortete Däumling. «Er macht sich über meine Figur lustig.»

«Klappe zu und festhalten!», rief Papa, als er um eine Kurve *schoss*.

Jetzt hatten sie die Stadtgrenze erreicht.

«Wo zur Hölle fährst du uns hin?», wollte Finger wissen. «Das ist doch nicht der Weg zum Haus vom Boss.»

«Ich weiß. Ich dachte, wir sollten eine **Abkürzung** nehmen.»

Papa riss das Steuerrad herum, und das Auto
fuhr eine steile Treppe hinauf.

RUMMS!

RUMMS! RUMMS!

«Wo fährst du hin?», brüllte Finger, während er sich mit seinen langen Fingern am Sitz festkrallte.

«Wir hängen sie ab», sagte Papa.

QUEENIE *krachte* durch eine Schranke, und plötzlich waren sie auf einem Fußballplatz.

TATÜ-TATA! TATÜ-TATA!

Der Mini kam mitten auf dem Spielfeld zum Stehen. Die drei Polizeiwagen **verteilten** sich und hielten ebenfalls an.

Über den Lautsprecher auf dem Dach des einen Autos schallte eine Stimme herüber.

«HIER SPRICHT Oberwachtmeister Spötter.»

«Bestimmt will er seine Hose zurück», meinte Frank.

«SIE SIND UMZINGELT!»

«Wer hat Lust, Fußball zu spielen?», fragte Papa.

KAPITEL

27

TOR!

Hört sich super an, Papa!», antwortete Frank.

WROOAAAM!

Queenie raste die Stufen der Zuschauertribüne hinauf.

BOING!

BOING!

BOING!

Eines der Polizeiautos nahm die Verfolgung auf.

BOING!

BOING!

BOING!

«Rutschen Sie rüber!», brüllte Papa Däumling zu.

Däumling gehorchte und rutschte auf Franks Seite.

Dann riss Papa das Steuerrad herum, sodass der Mini auf zwei Reifen fuhr. Er passte gerade eben durch die Sitzreihen. Frank wurde von dem dicken Mann über ihm fast zerquetscht, doch er hatte das Gefühl, als wäre jetzt kein guter Zeitpunkt, um sich zu beschweren. Der Polizeiwagen hinter ihnen pflügte sich durch die Sitze.

TATÜ-TATA! TATÜ-TATA!

KRACH! SCHEPPER! BÄNG!

Die Sitze flogen in die Luft und krachten auf die Windschutzscheibe des Polizeiautos. Offenbar konnte der Fahrer nichts mehr sehen, denn der Wagen fuhr direkt in den riesigen Fernsehbildschirm hinein.

PAMM'!

Das Auto _hing_ aus dem Bildschirm wie in einem 3D-Film.

«Da waren's nur noch zwei», sagte Papa.

Er riss das Steuerrad wieder zur anderen Seite,

und **QUEENIE** fiel zurück auf alle vier Reifen, polterte die Treppenstufen wieder hinunter …

BOING!

BOING!

BOING!

… und schoss
aufs Spielfeld.

Die beiden übriggebliebenen Polizeiwagen warteten noch auf der anderen Seite. Sie fuhren mit großer Geschwindigkeit auf den Mini zu, sodass der Rasen nur so zur Seite flog. **SAUS!**

Auch der Mini *fuhr* los.

Die Autos schossen auf dem Feld aufeinander zu.

Es war eine gefährliche Mutprobe.

Wer würde zuerst ausweichen?

«AAH!», schrie Finger. Er schloss die Augen, als die Polizeiwagen immer weiter auf den Mini zuhielten.

«GEBEN SIE AUF!», jaulte Däumling. Frank sah, dass der riesige Mann beinahe heulte.

Wenn niemand auf die **Bremse** trat, würden sie alle zusammenprallen.

Papa behielt die Nerven.

Immerhin war er ein berühmter Rennfahrer. Er wartete, bis er das **Weiße** in den Augen der Polizisten sehen konnte, dann zog er die Handbremse und ließ den Mini **WIE WILD** auf der Stelle drehen.

«NEEEIIIN!», schrien Finger und Däumling.

Die beiden Polizeiwagen drehten scharf ab. Dabei landete der eine auf dem Dach und **rutschte** darauf über das Feld.

Papa richtete den Mini wieder auf und schob den umgekippten Polizeiwagen ins Netz.

«TOR!», jubelte Frank.

Jetzt war nur noch ein einziges Polizeiauto übrig.

KAPITEL

28

DAS DUELL

QUEENIE sauste außen um das Spielfeld herum, und das Polizeiauto *verfolgte* sie auf der Innenseite. **Runde um Runde** ging es herum, als wären sie beide **die letzten zwei Autos bei einem Stockcar-Rennen.**

Frank sah, dass einer der Polizisten **Wachtmeister** Spötter war. Er lehnte sich mit wildem Blick aus dem Fenster, sodass seine spärlichen Haarsträhnen flatterten, und **brüllte** dem Fahrer seines Autos zu:

«SCHNELLER! SCHNELLER! LOS! LOS!»

Spötter starrte in den Mini. Die Gesichter der beiden Räuber wirkten durch die Damenstrümpfe ganz verändert, doch Frank und sein Vater hatten keine Verkleidung. Frank bekam Angst. Würde **Wachtmeister** Spötter ihn und Papa erkennen?

BAMM!

Papa rammte den Polizeiwagen, sodass dieser auf das Tor zutrudelte.

Irgendwie bekam der Fahrer das Auto wieder unter Kontrolle und blieb kurz vor der Torlinie stehen.

Papa drückte das Gaspedal runter und schoss direkt auf das Polizeiauto zu.

Die Stoßstangen der beiden Autos **knallten** zusammen.

KNALL!

Es sah aus wie zwei Stiere, die ihre Hörner im Kampf verhakten.

Die Motoren heulten. *BROAMM!*

Die Reifen drehten sich.

SRRRRIIIIMMMM!
Metall knirschte.

KNIRSCH!

Es war ein richtiges **DUELL**.

Plötzlich schien es, als würde Papa den Kampf verlieren. Der Polizeiwagen drängte nach vorn und
schob den Mini zurück. Frank schaute den beiden
Polizisten direkt ins Gesicht. Sie grinsten, weil sie
gewannen. Jedenfalls glaubten sie das.

«WAS MACHST DU DA, GILBERT?»,
schrie Finger.

«SIE HABEN UNS, DU IDIOT!»,
brüllte Däumling.

«Ach ja?», meinte Dad.

Wie der Blitz legte er den Rückwärtsgang ein.

Frank schaute aus dem Rückfenster.

Jetzt rasten sie rückwärts auf das Tor zu.

Der Polizeiwagen *beschleunigte*. Im allerletzten Moment riss Papa das **Steuerrad herum**.

Der Fahrer des Polizeiwagens konnte nicht so schnell reagieren und schoss an ihnen vorbei direkt ins Tor hinein.

SCHEPPER!

«TOR!», rief Frank wieder.

«Und jetzt verschwinden wir», sagte Papa.

Der Mini raste auf den Ausgang zu.

Vater und Sohn jubelten, als der Wagen die Stufen hinunterhopste.

BOING! BOING!

BOING!

Aber noch waren sie nicht in Sicherheit. Als sie die Straße erreicht hatten, sahen sie vor sich einen Halbkreis aus Polizeiwagen stehen. Papa legte den **Rückwärtsgang** ein, doch es war zu spät. Von hinten kamen weitere Polizeiwagen und blieben Stoßstange an Stoßstange stehen. **Jetzt war der Mini in einem Kreis aus Polizeiautos gefangen.**

Über ihnen knatterte ein Hubschrauber und richtete seinen Scheinwerfer auf den Mini.
Sie saßen in der Falle.

GEFANGEN

«ERGEBEN SIE SICH!

SIE SIND **UMZINGELT!**»,

tönte eine Stimme über das Megaphon.

Das war Spötter, der auf den Stufen stand, die ins Fußballstadion führten. Der Polizist sah ein wenig durcheinander aus, nachdem sein Wagen so ein spektakuläres Tor erzielt hatte, doch zumindest trug er neue Hosen, auch wenn sie ihm zu klein waren. Seine dürftigen Haarsträhnen flatterten im Windzug der Hubschrauberflügel. Der Mini-Tornado ließ Blätter und Abfall durch die Luft fliegen und um den Mini kreisen. Das kleine Auto klapperte so heftig, als würde es gleich auseinanderfallen.

KLAPPER! KLAPPER! KLAPPER!

Papa schluckte. Selbst die Verbrecher Finger und Däumling sahen besorgt aus.

Frank hatte seinem Vater jahrelang beim Rennfahren zugesehen und immer gestaunt, wie der Champion sich aus den unmöglichsten Situationen befreit hatte. **Es musste doch *irgendeinen* Ausweg geben.**

«Papa, du kannst uns hier rausfahren», drängte Frank.

«Es ist zu gefährlich, Kumpel. Wir müssen uns ergeben. Es ist vorbei.»

«Das ist bloß die Schuld von diesem Gör hier, das hat uns aufgehalten», fauchte Finger.

«ICH WILL IHM DEN KOPF ABREISSEN UND ALS FUSSBALL BENUTZEN!», grollte Däumling.

Trotz des unangenehmen Gedankens, dass sein Kopf

von seinem Körper abgetrennt werden sollte, war Frank sicher, dass sie fliehen konnten. Vor vielen Jahren hatte er seinem Vater bei einem irrsinnigen Stunt zugesehen, bei dem er mit **QUEENIE** auf den **Hinterrädern gefahren** war.

«Papa, du kannst doch über die Polizeiwagen rüberspringen!»

«Nein, kann ich nicht!», antwortete Papa.

«Doch! Mach einen Wheelie!»

«EINEN WAS?», rief Däumling.

«Man kann mit einem Auto keinen Wheelie machen», höhnte Finger.

«Mein Papa doch!»

«Nein, jetzt kann er das nicht», antwortete Papa. «Damals war **QUEENIE** speziell ausgewuchtet. Ich hatte hinten drin ein **großes, schweres Fass.»**

«Wir haben jetzt auch ein großes, schweres Fass hinten drin»**, antwortete Frank und deutete auf Däumling.

Der Verbrecher beugte sich zu Frank hinüber. Einen Augenblick sah es so aus, als wollte er den Jungen **fressen**.

«Das reicht nicht, Kumpel. Dann müssten sich schon alle drei Erwachsenen nach hinten quetschen.»

«Worauf wartest du dann?», rief Frank.

«Und wer soll dann fahren?», fragte Dad.

«ICH!», antwortete Frank.

KAPITEL

30

COUNTDOWN

«ICH GEBE IHNEN 10 SEKUNDEN, DANN WERDE ICH GEWALT AN-WENDEN!», gab **Wachtmeister** Spötter über sein Megaphon bekannt. Dabei drehte er seinen Schlagstock in der Hand, als freute er sich schon darauf, ihn einzusetzen.

«Du kannst nicht fahren!», höhnte Finger. «Wie alt bist du, zehn?»

«Ich bin fast zwölf! Also, wenn Sie hier rauskommen wollen, dann tun Sie, was ich sage!»

«ZEHN!», zählte Spötter.

«Alle nach hinten!»

Finger und Papa sahen sich zögernd an, doch sie taten, was Frank sagte.

«NEUN!»

Während die beiden Männer nach hinten kletterten, stieg Frank auf den Fahrersitz.

«ACHT!»

«Mach dich klein!», brüllte Finger Däumling zu, als er sich neben ihn quetschte.

«Ich kann nicht», stöhnte Däumling. «Was kann ich für meinen großen Hintern?»

«SIEBEN!»

Als die drei Männer hinten saßen und Frank vorn, hoben die Vorderreifen des Minis bereits ab.

«SECHS!»

Frank grinste. Trotz der Gefahr saß er jetzt auf Queenies Fahrersitz, und darauf hatte er schon sein Leben lang gewartet.

«FÜNF!»

Er legte die Hände ans Steuerrad. Noch nie hatte er sich so cool gefühlt.

«VIER!»

Er streckte den Fuß zu den Pedalen aus.

SCHRECK!

Seine Beine waren zu kurz!

«PAPA! ICH KOMME NICHT AN DIE PEDALE!», schrie Frank.

«DREI!»

«ICH ERWÜRGE IHN!», brüllte Finger.

«UND WENN DU MIT ERWÜRGEN FERTIG BIST, DANN ERWÜRGE ICH IHN NOCH MEHR!»,

rief Däumling.

«ZWEI!»

Es blieb ihnen nur noch eine Sekunde übrig.

KAPITEL 31

AUTOSCOOTER

Hier, Kumpel – nimm das hier!», rief Papa.

Er zog sein Holzbein ab und reichte es Frank.

«EINS!»

So schnell er konnte, schob Frank seinen Fuß in den Riemen.

«OKAY! ANGRIFF!»,

brüllte Wachtmeister Spötter. Er lief die Stufen hinunter und schwenkte dabei seinen Schlagstock.

Frank drückte den Fuß in das Holzbein, das wiederum auf das Gaspedal drückte.

Der Mini *schoss* voran. Weil seine Vorderräder in der Luft schwebten, **fuhr** das Auto auf die Motorhaube eines Polizeiwagens.

KLONG!

Der Mini zerknickte das Blech.

KNICK!

Die Hinterreifen rollten über die Windschutz-scheibe.

KNIRSCH!

«STEUER NACH LINKS!», rief Papa.

Frank tat es, und das Auto fuhr über das nächste Polizeiauto in dem Kreis. Alle Polizisten sprangen gerade noch rechtzeitig heraus.

«JETZT ALLE VORBEUGEN!», brüllte Papa, und alle drei Männer warfen ihr Gewicht nach vorn.

Der Mini fiel wieder auf alle vier Räder.

BAMM!

Frank fuhr über das nächste Polizeiauto. Und das nächste. Und das nächste.

KNACKS!

Der Mini *rollte* über die Wagen und hinterließ eine Spur der Verwüstung. Das Glas von allen Windschutzscheiben explodierte, sobald die Reifen des Minis darüberrollten.

KNALL!
KNALL!
KNALL!

KNACKS!

Und das Gewicht von **QUEENIE** brachte die Autodächer zum Einknicken.

Frank hatte in der Schule erst ein einziges Mal Ärger bekommen – weil er zu laut geniest hatte. Umso mehr genoss er jetzt seinen ganz persönlichen

AUTO SCOOTER!

Spötter sah mit Schrecken, wie seine komplette Polizeiflotte platt gewalzt wurde.

Sobald Frank seine Runde beendet hatte, rief Papa: **«SCHARF RECHTS!»**

Der Mini rollte an der Rückseite eines Polizeiwagens herunter und landete mit einem lauten

BOING!

auf dem Boden.

Funken flogen, als die Stoßstange über den Asphalt schrappte.

BRITZEL!

Dann raste der Mini die Straße entlang.

SAUS!

«Jippieh!», schrie Frank. Er hatte noch nie in seinem Leben ‹Jippieh!› gerufen, doch jetzt schien der perfekte Augenblick dafür.

Der Zeiger auf dem Tachometer war bereits im roten Bereich. Das Auto fuhr weit schneller als **120 km in der Stunde**.

Über ihnen nahm der Hubschrauber die Verfolgung auf.

«Noch haben wir's nicht geschafft», meinte Papa. «Lass mich jetzt wieder ran, Kumpel. Den Flattermann kann ich abhängen.»

«Klar, Papa.»

Frank versuchte, das Holzbein auf die Bremse zu **SCHIEBEN**, doch es hatte sich irgendwie mit dem Gaspedal verhakt.

«PAPA!»

«Was ist, Kumpel?»

«ICH KANN NICHT BREMSEN!»

KAPITEL

EIN KLARER FALL

Frank bekam Panik, als er merkte, dass es aus mit ihnen war. Durch das festgeklemmte Holzbein fuhr **QUEENIE** schneller und **schneller**.

«HALT DICH FEST, KUMPEL!», rief Papa und kletterte nach vorn.

Dabei drückte er seinen Beinstumpf in Fingers lange, spitze Nase.

«Pass doch auf, was du mit dem Ding da machst!», fauchte Finger.

«'tschuldigung!», sagte Papa.

Er wand sich hin und her, um nach vorn zu kommen.

Frank riss das Steuer herum, als sie um einen Kreisel *schossen*.

Dabei fiel Papa wieder zurück und landete mit dem Hintern direkt auf Fingers Gesicht.

«IGITT! PASS DOCH AUF, WAS DU MACHST!», schrie er.

«'TSCHULDIGUNG!», rief Papa und rutschte mit dem Hintern auf Fingers Nase, um sich von dort wieder auf den Beifahrersitz zu drücken. «UFF!», rief er, als er nach vorn rutschte. Und das Auto fuhr immer **schneller** und **schneller**.

Frank klammerte sich ans Steuerrad und starrte auf die dunkle Straße vor ihm. Er wagte nicht mal zu blinzeln. Mittlerweile waren sie aus der Stadt heraus. Es gab keine Straßenlaternen – alles war stockfinster. Die Straße war nur noch einspurig, und zu beiden Seiten wuchsen hohe Hecken. Sollte ihnen jetzt ein Auto entgegenkommen, war es vorbei mit ihnen.

Über sich hörten sie immer noch den Polizei-
hubschraber knattern.

KNATTER!

«Licht aus!», befahl Papa.

Frank drückte auf einen Hebel, und die Scheinwerfer gingen aus. Jetzt konnte niemand sie sehen,
aber ebenso wenig konnten sie selbst etwas erkennen.

Bald wurde das Dröhnen des Hubschraubers
über ihnen schwächer.

**«ICH GLAUBE, WIR HABEN
SIE ABGEHÄNGT! UND JETZT
ZUM LETZTEN MAL, HALT
DAS AUTO AN!»**, brüllte Finger.

«Ich versuche es ja», sagte Papa und schlug mit
der Faust gegen sein Holzbein. Aber es wollte sich
einfach nicht lösen.

Weit vorn in der Ferne sah Frank etwas auf
der Straße. Etwas Pinkes. Etwas Dickes. Etwas
Schweiniges.

Es war ein **Schwein**!

«SCHWEIN!», schrie Frank, weil er nicht wusste, was er sonst sagen sollte.

«Was fällt dir ein!», rief Däumling.

Es musste von einem der Bauernhöfe entlaufen sein. Vielleicht hatte der Lärm des Hubschraubers es aufgeschreckt.

«Nein, nicht Sie! Da steht ein **Schwein** auf der Straße!»

«ÜBERFAHR ES!», brüllte Finger.

«ICH KANN DOCH KEIN SCHWEIN ÜBERFAHREN!»**, schrie Frank.

«Du isst doch auch **Schweinebraten**, oder nicht?», brüllte Finger.

«Ja.»

«Dann kannst du auch ein Schwein überfahren!»

Däumling sah ihn fragend an. «Finger? Stammt **Schweinebraten** von **Schweinen**?»

«JA!», schrie Finger.

«Man lernt wirklich jeden Tag was Neues!»

«Ich hab's geschafft!», rief Papa und riss das Holzbein vom Gaspedal. Dann beugte er sich in den Fußraum und drückte, so fest er konnte, auf die Bremse.

QUIIIEE*TSCH!*

Es war zu fest.

Die Hinterräder des Wagens hoben sich, und der Mini wirbelte durch die Luft.

KREISEL! KREISEL! KREISEL!

«AAAAHH!», schrien alle, während sie sekundenlang Salto schlugen. Durch die Windschutzscheibe konnte Frank das Schwein sehen. Genau wie er riss es vor Schreck die Augen auf.

«ÖFF-ÖFF!»

Das Auto flog auf dem Kopf durch die Luft. Doch alles fällt irgendwann wieder auf den Boden. Das war ein klarer Fall.

Der Mini schrammte über eine Hecke.

SCHRAMM!

Dann landete er auf dem Dach auf einer Kuhweide.

BAMM!

Alle vier Passagiere hingen nun verkehrt herum im Auto und schlitterten rückwärts über die Weide.

SCHLITTER!

Die Kühe schliefen alle, doch ein umgedrehtes Auto, das in voller Fahrt über das nasse Gras rutschte, weckte sie auf.

«MUH! MUH!», muhten die Kühe und stoben erschrocken zur Seite.

Die Insassen starrten über Kopf aus dem Rückfenster. Ein hoher Baum kam sehr schnell auf sie zu.

«BAUM!», schrie Däumling.

«Ja, den haben wir gesehen!», meinte Finger.

«Drück auf die Bremse!», schrie Däumling.

«Wir liegen auf dem Dach!», sagte Papa.

«Ach ja!», antwortete Däumling.

KAPITEL 33

SCHMOLLEN

«FESTHALTEN!», schrie Finger.

BÄMM!

Das hintere Ende des Autos knallte gegen den Baum, und **QUEENIE** kam abrupt zum Stehen.

Benommen blieben die vier Insassen noch einen Moment im Auto hängen, dann krabbelten sie hinaus.

Als Frank im Gras lag, spürte er, wie ihm etwas Raues und Schlabberiges über die Stirn leckte. Er schaute auf und sah, dass es eine Kuhzunge war. Die Herde hatte sich um das Auto versammelt und leckte die Menschen nun wach.

«MUH! MUH!»

«Lass das!», schimpfte Finger und schob den

Kopf der Kuh zur Seite, doch das hielt die Kuh nicht davon ab, ihn weiter abzulecken.

«Und was für Fleisch kommt von diesen Tieren hier?», fragte Däumling. «Hühnchen?»

Finger seufzte laut auf.

«Ich brauche jetzt eure Hilfe!», gab Papa bekannt.

«Lamm?», riet Däumling.

«Hört zu! Wir müssen jetzt alle zusammenarbeiten, um das Auto wieder umzudrehen. Also, Frank, du und ich können an dieser Seite schieben, und Finger und Däumling ...»

Doch bevor Papa seinen Satz zu Ende sprechen konnte, hatte Däumling das Auto ganz allein umgedreht. Es landete mit einem *BUMS* auf seinen vier Rädern.

«Oh, danke, Däumling», sagte Papa. «Das scheinen Sie ja ganz allein geschafft zu haben.»

«So!», fauchte Finger. «Nachdem ihr beide uns beinahe umgebracht habt, werde ich jetzt fahren.»

«Ich darf nie fahren!», schmollte Däumling.

«Tja, ich hab's zuerst gesagt!», sagte Finger.

«*Ich* werde fahren!», bestimmte Papa.

«DAS IST UNFAIR!», schmollten Finger und Däumling.

Papa schnallte sich sein Holzbein wieder an und kletterte auf den Fahrersitz. **«*Ich* bin hier der Fluchtwagenfahrer, also *fahre ich* auch.»**

«Kann ich dann diesmal vorn sitzen?», bettelte Däumling.

«N E I N !», sagte Papa.

«Kann ich dann diesmal vorn sitzen?», bat Finger.

«NEIN!»
« W A R U M NICHT?», fragten die beiden Verbrecher.

«Weil, wenn ich einen von euch vorn sitzen lasse, dann beschwert sich der andere, der hinten sitzt, und dann muss ich wieder anhalten, damit ihr tauschen könnt, und das dauert alles viel zu lange!»

«Dann los jetzt. Wir müssen bis Mitternacht bei Mr. Big zu Hause sein», sagte Däumling.

Finger schlug Däumling auf den Hinterkopf.

«AU! Wofür war das denn?», jammerte der große Mann.

«Sag dem Jungen nicht, wo wir hinfahren. Das ist total geheim.»

«Mr. Bigs Haus?», fragte Däumling.

Finger schlug ihn noch mal, diesmal fester.

«AU! Ich hab ihm doch nie gesagt, dass Mr. Big den ganzen Überfall geplant hat!»

PAMM!

«AAAUUUU!!!!»

«Hört sofort auf damit, alle beide. Sonst könnt ihr zu Fuß gehen!», sagte Papa.

Beide Männer kletterten auf den Rücksitz und schmollten. Niemand wird gern ausgeschimpft, schon gar keine knallharten Verbrecher.

Frank glitt auf den Vordersitz. Er hatte einen Riesenspaß. «Keine Sorge. Ich habe gar nicht gehört, dass wir jetzt zu Mr. Bigs Haus fahren oder dass er diesen und alle anderen Überfälle von euch geplant hat», sagte er grinsend.

«Das ist gut!», meinte Däumling. «Siehst du?»

Finger schüttelte nur den Kopf.

«Ruhe!», sagte Papa und versuchte, den Motor zu starten.

GNNNN… *GNNNN*… *GNNNN*…

Doch anstatt aufzuheulen, gab **QUEENIE** nur leise, erstickte Laute von sich.

«Oh nein», sagte Papa.

«Was ist?», fragte Frank.

«Der Motor muss abgesoffen sein, als sie auf dem Kopf stand. Jetzt wird er für ein paar Stunden nicht laufen. Wir müssen zu Fuß gehen.»

«Wollen wir nicht die Polizei rufen?», schlug Däumling vor. «Vielleicht können die uns abschleppen.»

«Wir fliehen gerade vor der Polizei, schon vergessen?», schrie Finger.

233

«Ach ja.»

«Merkt ihr, mit was ich mich rumschlagen muss?», meinte Finger.

«Kommt schon», meinte Papa. «Je eher wir losgehen, desto früher kommen wir an.»

In diesem Moment erhellte ein Blitz den Himmel.

KRICKKRACK!

Nach ein paar Sekunden hörte man Donner, und dann strömte der Regen herunter.

KABUMM!

PRASSEL PRASSEL PRASSEL!

«Ich glaube, es regnet», meinte Däumling.

Finger nahm den braunen Koffer, der voller Banknoten war, und warf ihn Däumling zu.

«AU!», schrie der Verbrecher.

«Den kannst du tragen! Komm schon! Hier entlang!», sagte Finger, und die vier begannen ihren langen Weg zu Mr. Bigs Haus.

Papa und Frank warfen *QUEENIE* einen letzten Blick zu. Der Regen strömte herab, und die gelbe Farbe löste sich ab und lief auf die Weide, sodass die britische Fahne darunter zum Vorschein kam.

«Was ist mit *QUEENIE*?», fragte Frank.

«Wir kommen sie bald abholen, Kumpel», sagte Papa. «Mach dir keine Sorgen.»

KAPITEL

34

VERBRECHEN ZAHLT SICH AUS

Nachdem sie lange im strömenden Regen über Weiden voller Kuhfladen gegangen waren, standen die vier schließlich vor einem großen Tor. Auf einem Schild stand: «Haus Stibitz».

Finger drückte auf einen Knopf und beugte sich dann zu einer Sprechanlage hin.

«Mr. Bigs Anwesen, wer ist da?», ertönte eine Stimme aus dem Lautsprecher.

«Wir sind's, Finger und Däumling. Wir haben ein Geschenk für den Boss», sagte Finger.

«Er erwartet Sie bereits. Einen Moment, bitte.»

Langsam öffnete sich das Tor, und die vier gingen die lange Auffahrt entlang, bis sie zu einem riesigen Landhaus kamen. In seinen ganzen elf Jahren

hatte Frank noch nie ein so großes Haus gesehen. Es sah aus wie *ein Palast* mit seinen dicken römischen Säulen, den hohen Fenstern und der breiten Steintreppe, die zu einer großen Holztür führte.

Frank betrachtete alles mit großen Augen und murmelte: «Verbrechen zahlt sich doch aus.»

Sie kamen an einem verzierten Springbrunnen vorbei, in dessen Mitte eine riesige Marmorstatue stand. Sie zeigte Mr. Big in einer heldenhaften Haltung. Sein Morgenmantel flatterte wie ein Umhang im Wind. Er sah aus wie ein **Superheld** und nicht wie der **Superschurke**, der er eigentlich war.

Die vier stiegen die Steinstufen hinauf bis zur imposanten Holztür. Finger betätigte den goldenen Klopfer. *BUMM! BUMM! BUMM!*

Nach ein paar Augenblicken öffnete ein Butler in schwarzem Anzug und Fliege die Tür.

«Mein Herr erwartet Sie in seinem Arbeitszimmer», verkündete er. Er war ein kurzer, dünner Mann mit ernstem Gesicht. Frank erkannte an seinem Äußeren und seinem Akzent, dass er Chinese war.

Der Butler führte sie einen langen Flur entlang in Mr. Bigs Arbeitszimmer.

«Ihr seid spät dran!», knurrte Mr. Big. Der kleine Mann saß hinter einem großen Schreibtisch und zog an einer Zigarre. Zu seinen Füßen hockten zwei dicke schwarze Katzen mit diamantenbesetzten Halsbändern. Das Zimmer war bis oben hin voll mit Gold: *ein goldener Schreibtisch, ein goldener Stuhl, goldene Lampen, goldene Rahmen* und *goldene Bilder* von Mr. Big in goldener Kleidung. Eines zeigte Mr. Big sogar als römischen Kaiser mit einer Krone aus *goldenen Blättern* auf dem Kopf. Dieser Mann liebte *Gold* offenbar genauso wie sich selbst.

«'tschuldigung, Boss», sagte Finger. «Wir hatten ein paar Probleme mit dem Fluchtwagen.»

Dabei sah er Papa böse an, der den Kopf senkte.

«Und wer ist der KLEINE WURM da?», wollte Big wissen.

«Mein Sohn, Sir», antwortete Papa.

«Oh, dann lerne ich den kleinen Wicht ja endlich kennen. Deine Mutter hat mir schon von dir erzählt.»

«Meine Mutter?», fragte Frank mit zitternder Stimme.

«Hat dein Vater dir das nicht erzählt?», grinste Mr. Big. «Sie ist jetzt *meine* Frau.»

Frank starrte seinen Vater verwirrt an. «Papa? Bitte sag mir, dass das nicht stimmt!»

Papa holte tief Luft. Er hatte seinen Sohn schon zu lange vor der Wahrheit geschützt. Nun hatte er keine andere Wahl, als ihm die ganze Geschichte zu erzählen.

«Es tut mir so leid, Sohn. Es stimmt. Deine Mutter wohnt hier mit Mr. Big.»

Frank hatte das Gefühl, als würde ihn eine Welle unter Wasser drücken. Die Welt um ihn herum fühlte sich auf einmal still und schwer an. Er konnte nicht denken. Er konnte nicht sprechen. Er konnte nicht atmen.

Papa nahm seinen Sohn in die Arme. «Ich hätte es dir sagen sollen, Kumpel, aber ich wollte dir die Wahrheit ersparen.»

Frank wollte vor den anderen Männern nicht weinen. Er wollte stark sein. Aber er konnte nicht. Durch Tränen hindurch sagte er zu Mr. Big: **«Bitte** sagen Sie mir, dass meine Mutter nicht jetzt in diesem Moment hier im Haus ist.»

Mr. Big lächelte. «Natürlich ist sie das! Ich lasse sie doch nicht raus!»

Die beiden Handlanger lachten über diesen Witz, der wie die meisten Witze sehr ernst war.

«Ha! Ha!»

«Ja, Mami ist hier», fuhr Mr. Big fort. «Um diese Uhrzeit kannst du sie im Salon finden, wo sie eine Flasche guten Champagner trinkt. Etwas, was dein Papa sich niemals leisten konnte.»

Wieder lachten die Verbrecher: **«Ha! Ha!»**

«Also, kleiner Frankie», sagte Mr. Big. «Vermisst du deine Mami? Willst du sie sehen?»

«Nein!», fauchte Frank.

«Nun, ich wette, *sie* möchte *dich* gern sehen. Ist schließlich eine Weile her … Chang, sag der Dame des Hauses, dass ihr Sohn hier ist.»

«Sehr wohl, Sir», sagte der Butler und verließ gebückt das Zimmer.

Papa legte Frank beschützend den Arm um die Schulter. «Tun Sie das dem Jungen nicht an», sagte er.

«Ich kann es gar nicht abwarten», antwortete Big. «Mutter und Sohn endlich vereint!»

«Ich will sie nicht sehen, Papa», schluchzte Frank.

«Komm, Kumpel. Wir hauen hier ab», sagte Papa und nahm seinen Sohn bei der Hand.

Doch es war zu spät. Franks Mutter stand bereits im Türrahmen.

35

CHAMPAGNER, PARFÜM UND HAARSPRAY

Mum sah ganz anders aus, als Frank sie in Erinnerung hatte. Sie war stark geschminkt, die Nägel hatte sie grell lackiert, und sie war über und über *mit Goldschmuck behängt*. Sie sah aus wie eine Gangsterbraut, und genau das war aus ihr geworden.

«Oh, bist du aber groß geworden!», lallte sie. In der Hand hielt sie ein Glas Champagner, dessen Rand mit Lippenstift beschmiert war.

Frank kam es ganz unwirklich vor, seine Mutter nach all der Zeit zu sehen. Schließlich brachte er ein «Hallo, Mama» heraus.

Mr. Big strahlte. Ihm schien das alles sehr zu gefallen. «Willst du deiner Mami keinen Kuss geben?»

Frank schüttelte den Kopf.

«KOMM SCHON, FRANKIE!», sagte sie und stolperte ins Zimmer. Sie wankte auf ihren viel zu hohen Absätzen wie ein Fohlen, das seine ersten Schritte macht. Schließlich stand sie direkt vor ihrem Sohn. Frank musste den Atem anhalten, so schlimm roch sie nach Champagner, Haarspray und Parfüm. **«JETZT GIB MIR EINEN KUSS!»**, verlangte sie.

«Ich will aber nicht!», sagte Frank.

«Du frecher Bengel!», fauchte sie.

Finger und Däumling schauten grinsend zu. Die beiden Katzen schnurrten.

244

«Lass meinen Sohn in Ruhe!», mischte sich Papa ein.

Seine Exfrau drehte ihm langsam den Kopf zu. «Gilbert, du vergisst da was. Frank ist auch *mein* Sohn und so.»

Frank fühlte sich in der Zwickmühle. Irgendwo tief in seinem Inneren *liebte* er seine Mutter immer noch, auch wenn sie ihn so im Stich gelassen hatte.

«Bitte tu das nicht», bat Papa. «Nicht jetzt.»

Frank legte seinem Vater die Arme um die Brust und hielt ihn ganz fest.

Seine Mutter wurde ganz rot vor Wut. «Ich gehe ins Bett!», schnaubte sie.

«Nein, nein, nein», widersprach Mr. Big. «Bleib hier, mein Schatz. Ich möchte, dass du siehst, was diese netten Gentlemen mir mitgebracht haben.»

Chang nickte Finger und Däumling zu. Die beiden nahmen den Koffer mit dem ganzen Geld und kippten ihn auf dem Tisch aus. Bündelweise Fünfzig-Pfund-Noten purzelten heraus. Jedes Bündel hatte hundert

Scheine, und es gab mindestens hundert Bündel.

Das waren also 50 x 100 x 100. Mathe war nicht gerade Franks bestes Fach – aber er wusste, dass das eine Masse Geld war

«Sieh dir das an, Weib!», rief Mr. Big.

Mums Augen leuchteten auf. «Oh, Biggie! Wie schön!»

Der kleine Verbrecherboss nahm einen Armvoll Notenbündel vom Tisch und reichte sie ihr. «Nimm ruhig, Baby. Kauf dir was Hübsches zum Geburtstag.»

«Du bist der Beste, Biggie!», quietschte Mum, warf Mr. Big die Arme um den Hals und gab ihm einen langen, schlabbernden Kuss.

SCHLABBER!

Frank und Papa mussten wegschauen, und selbst Finger, Däumling und Chang starrten an die Decke.

«Mach nicht so lange!», schnurrte sie, kippte sich den Rest des Champagners in den Hals und schwankte auf ihren hohen Absätzen.

Dann pflückte sie ein paar Scheine aus dem

Bündel und stopfte sie Frank in die Brusttasche.
«Hier hast du ein bisschen Ta-
schengeld.»

**«Ich will dein Geld
nicht»,** antwortete
Frank. Er nahm die
Scheine und drückte
sie ihr wieder in die
Hand.

«WAS WILLST
DU DENN?», lallte die
Frau.

«Ich will gar nichts von dir»,
sagte Frank. «Ich will dich einfach nie wiederse-
hen.»

Ihr Gesicht verfinsterte sich. Sie sah aus, als hätte sie sich in eine Schlange verwandelt. Sie hob
die Hand, als wollte sie ihrem Sohn ins Gesicht
schlagen ...

KAPITEL

36

ZASTER

Papa packte Mums Handgelenk. Er hielt ihre Hand einen Millimeter von Franks Gesicht fest.

«Was tust du denn da, Rita?», fragte Papa.

«Ich weiß es nicht, Gilbert!», antwortete sie, plötzlich erschrocken über das, was sie beinahe getan hätte.

«Hast du unserem Sohn nicht schon genug weh getan?»

«Ich weiß. **Es tut mir leid. Wirklich.** Ich weiß gar nicht, was in mich gefahren ist», stotterte sie, und die Tränen liefen ihr die Wangen herab. «Ich habe dich im Stich gelassen, Frank. Das ist das Einzige, was ich je für dich getan habe. Dich im Stich zu lassen.»

«Das wird jetzt langsam peinlich!», fauchte Mr. Big. «Geh ins Bett!» Mum senkte den Kopf und stolperte aus dem Zimmer. «Und es geht euch überhaupt nichts an, wie ich mit ihr rede. Sie gehört nämlich jetzt mir», sagte er mit fiesem Grinsen zu Papa und Frank.

Dieser Mann war schlimm, erkannte Frank. **Unheilbar schlimm.**

Der Verbrecherboss wandte sich schließlich dem Geld zu, das auf seinem Tisch lag. Er nahm ein **Bündel Scheine** in die Hand und schnüffelte daran. Dann küsste er sie. Und schließlich fuhr er mit den Fingern an ihrem Rand entlang und hielt sie

sich ans Ohr. Ein Grinsen breitete sich auf seinem kleinen, dicken Gesicht aus.

«Geld …», murmelte er vor sich hin, als stünde er unter einem Zauberbann. «Haufenweise herrliches Geld.»

«Das muss 'ne halbe Million sein, Boss», sagte Finger.

«Nicht schlecht für einen Abend, meine Herren. Gar nicht mal schlecht.»

Als würde er zwei Hunden einen Knochen zuwerfen, schleuderte Mr. Big seinen beiden Handlangern Finger und Däumling je ein Bündel Scheine zu.

Die beiden Männer schienen mit ihrer Beute ganz zufrieden zu sein.

«Danke, Boss», sagte Finger.

«Ja, tausend Dank, Boss», fügte Däumling aufgeregt hinzu. «Jetzt kann ich mir noch ein paar Fußballsticker für meine Sammlung kaufen.»

Frank und sein Vater sahen sich an. Fußballsticker? Wie alt war er, zehn?

Neben Mr. Big stand eine große Dose mit KAVIAR. Er schob einen kleinen goldenen Löffel hinein und schaufelte damit Hunderte der kleinen schwarzen Fischeier heraus.

«Ronnie? Reggie?», rief er.

Wer sind die beiden?, dachte Frank.

Die beiden fetten Katzen erhoben sich, machten einen Buckel und bleckten die Zähne.

«Ronnie!»

Die erste Katze leckte den Löffel ab und schluckte gierig den Kaviar hinunter, während Reggie fauchte.

«Keine Sorge, Reggie, hier ist deine Portion.»

Mr. Big schleuderte einen Ballen Kaviar in die Luft, den die Katze mit dem Maul schnappte. Die beiden Katzen **schnurrten**.

«Chang!», befahl Big.

«Ja, Sir», antwortete der Butler.

«Wirf den Rest vom Zaster in meinen Safe.»

«Sehr wohl, Sir», sagte der Butler. Er schob einen Bilderrahmen zur Seite, und dahinter kam ein Safe zum Vorschein. Chang drückte vier Tasten auf dem Zahlenblock …

BIEP! BOOP! BLIEP! BLOOP!

… woraufhin sich die Safetür öffnete.

Frank warf einen heimlichen Blick hinein. Der Safe war bis oben hin voll mit Goldbarren und Fünfzig-Pfund-Noten.

Nacheinander legte der Butler die neuen Scheine hinein.

Als Chang fertig war, sagte Frank: «Mr. Big, das ist nicht fair! Was ist mit dem Anteil für meinen Vater?»

Tödliche Stille breitete sich aus.

«WAS HAST DU GERADE ZU MIR GESAGT?», fragte Mr. Big. Seine kleinen Schweinsaugen traten vor Wut hervor.

«Nichts», antwortete Papa, der keinen Ärger wollte. «Er hat gar nichts gesagt.»

«Das war **nicht** nichts. Was hast du zu mir gesagt, du MIESE KLEINE KELLERASSEL?!»

KAPITEL

37

KOPFSCHMERZEN

Alle Augen richteten sich auf Frank. Dieser kleine Wicht in seinem schmutzigen Pyjama hatte es tatsächlich gewagt, dem Verbrecherboss zu widersprechen.

«Mein Papa hat das Fluchtauto gefahren», sagte Frank. «Ohne ihn wäre keiner mit der Beute weggekommen. Er verdient auch einen Anteil der Beute!»

Mr. Big fing an zu lachen.

«HA! HA! HA!»

Dann lachte Finger:

«HA! HA! HA!»

Dann Däumling:

«HA! HA! HA!»

Schließlich machte selbst der ernste Chang ein

Geräusch, das ein bisschen nach Lachen klang.

«HE HE HE.»

Ronnie und Reggie schnurrten.

«Was ist daran so lustig?», wollte Frank wissen.

«Lustig daran ist», sagte Mr. Big, «dass dein Papa **MIR** Geld schuldet!»

Ein besorgter Ausdruck zog über Papas Gesicht. «Aber, Mr. Big, so hatten wir uns nicht geeinigt. Sie haben versprochen, dass die Aktion heute Nacht alle meine Schulden begleicht.»

Mr. Big watschelte hinter seinem Schreibtisch hervor und stellte sich ganz dicht vor Papa. Er starrte Papa tief in die Augen und stieß ihm dabei eine Rauchwolke ins Gesicht. Davon musste Papa husten und spucken.

«Eine Nacht?», fauchte Mr. Big. «Die Arbeit von einer Nacht? Dass ich nicht lache. Du scheinst vergessen zu haben, dass du dir eine Masse Geld von mir geliehen hast!»

«Es waren doch nur fünfhundert Pfund», sagte Papa.

«Nur fünfhundert Pfund?»

«Ich brauchte sie für das Geburtstagsgeschenk meines Sohnes.»

«Meine Rennbahn!», sagte Frank.

«Ja.»

«Aber Papa!», protestierte Frank. «Du hättest mir die doch nicht zu kaufen brauchen. Ich wäre auch gut ohne sie ausgekommen.»

«Bitte sei still, Kumpel», sagte Papa.

«Und du hast das Geld nicht zurückgezahlt, stimmt's?», fuhr Mr. Big fort.

«Ich hab's versucht – das schwöre ich. Ich habe immer wieder versucht, meinen alten Job als Stockcar-Fahrer zu bekommen, aber sie wollen mich nicht mehr fahren lassen.»

«ALSO SCHULDEST DU MIR DAS GELD, Gilbert Goodie. Mit Zinsen. Aus fünfhundert

Pfund wurden tausend Pfund. Aus tausend wurden zehntausend Pfund. Aus zehntausend wurden hunderttausend Pfund.»

«Das ist unfair!», protestierte Frank. **«Wie können aus fünfhundert Pfund denn hunderttausend Pfund werden?!»**

«Ich bin keine Bank», fauchte Mr. Big.

«Nein, Sie RAUBEN sie bloß aus!», sagte Frank.

«Du bist wohl ein ganz Schlauer, was?»

«Aber hunderttausend Pfund werde ich niemals, niemals zurückzahlen können!», jammerte Papa.

Mr. Big grinste böse. «Dann musst du wohl weiter für mich arbeiten. Bis du deine Schulden abbezahlt hast.»

«Das ist unfair!», sagte Frank.

«SEI STILL, KUMPEL!», zischte Papa. «Aber wie lange?»

«So lange, wie ich sage.»

«Und wenn ich nein sage?», fragte Papa.

«Finger? Däumling?»

Sofort wurden die beiden Handlanger aktiv.

Finger packte Frank unter den Achseln und hob

ihn

    einfach

        in

           die

              Luft.

«Lassen Sie mich los!», schrie Frank und zappelte, um sich zu befreien.

«Nehmen Sie Ihre dreckigen Finger von meinem Sohn!», schrie Papa.

Däumling trat so heftig gegen Papas Holzbein, dass es abflog.

KRACK.

Papa fiel hin.

BAMM!

«PAPA!», schrie Frank.

Der arme Mann lag auf dem Boden. Sein Körper mochte beschädigt sein, aber nicht sein Willen.

«Wenn Sie meinem Sohn irgendwas antun, dann schwöre ich, werde ich …»

«Was dann?», spottete Big und trat Papa auf die Finger.

KNIRSCH!

«AU!», schrie Papa.

«Däumling!», befahl Mr. Big. «Mach den Jungen fertig!»

Frank sah entsetzt, wie der Mann seine gigantischen Daumen zurückbog.

KNACK! KNACK!

Dann drückte er beide gegen Franks Ohren. Frank hatte das Gefühl, sein **Kopf** würde gleich **zerplatzen**.

«AAAAH!», schrie er.

KAPITEL

38

STOPP!

«BITTE!», rief Papa. «Ich tue alles, was Sie wollen! Aber lassen Sie meinen Jungen in Ruhe.»

Mr. Big grinste, dann sagte er: «Das reicht, meine Herren.»

Finger und Däumling ließen von Frank ab. Und nachdem er seine Macht noch einen Moment ausgekostet hatte, nahm Mr. Big auch den Fuß von Papas Fingern. Trotz seiner Schmerzen rappelte sich Papa auf die Knie hoch, um seinen Sohn in die Arme zu nehmen, der vor Angst zitterte.

«Ich freue mich, dass du dich meinen Gedanken doch noch anschließt, Gilbert», fuhr Mr. Big fort. «Ich melde mich bald wegen eines neuen Auftrags.»

Frank kniete sich hin, um Papa zu helfen, sich das Holzbein wieder anzuschnallen. Dabei sah er auf einmal ein Bündel Scheine zu seinen Füßen liegen. Die mussten von Mr. Bigs Schreibtisch gefallen sein, als der Koffer geleert wurde. Die frischen Fünfzig-Pfund-Noten schienen die Lösung für ihre Probleme zu sein.

Als er glaubte, dass niemand hinschaute, schob Frank seinen linken Fuß langsam über die Scheine. Wenn er die Nerven behielt, konnte er sie aus dem Zimmer schieben.

«Mein Herr bedankt sich für Ihren Besuch. Nun müssen Sie sich verabschieden», gab Chang bekannt.

Frank hielt seinen Fuß fest auf den Boden gedrückt, während er und Papa aus dem Zimmer geführt wurden.

Nach ein paar Schritten bellte Big: «STOPP!» Alle hielten an.

«Wieso gehst du so **komisch**?», fragte er.

«Wer? Ich?», sagte Frank unschuldig.

«Ja, du. Warum dein verkrüppelter Vater komisch geht, wissen wir schon.»

Natürlich lachten die beiden Schlägertypen über die Grausamkeit ihres Bosses. «HA! HA!»

«Ich gehe nicht **komisch**», antwortete Frank.

«Mach mal ein paar Schritte», sagte Mr. Big.

Frank ging und zog seinen linken Fuß hinterher.

«Was hast du da unter deinem Fuß?»

«Nichts», log Frank.

Mr. Big wurde wütend. Der Junge stellte seine Geduld auf eine harte Probe.

«DÄUMLING!», be-fahl Big.

Der Mann wusste, was zu tun war. Er ging zu Frank hinüber, legte ihm die Arme um die Brust und hob ihn hoch.

Alle Blicke richteten sich auf das Bündel Scheine, das der Junge schon halb aus dem Zimmer geschoben hatte.

«Tut mir leid, Papa», flüsterte Frank.

Papa lächelte seinem Sohn aufmunternd zu.

«Da haben wir wohl einen **Dieb** bei uns!», verkündete Mr. Big.

«Bitte, bitte, Mr. Big, Sir, verschonen Sie den Jungen», bettelte Papa.

Der Verbrecherboss watschelte zu Frank hinüber und starrte ihn an. Frank holte tief Luft. Was würde der scheußliche kleine Mann jetzt tun?

Die Antwort war ein Lächeln. «Junge, ich bin beeindruckt», sagte Big. «Sehr beeindruckt. Du wolltest Mr. Big persönlich bestehlen. Dazu braucht man Mut. Du solltest hierbleiben und bei mir und deiner Mutter leben.»

Papa schaute Frank mit angstvollem Blick an.

«NIEMALS!», rief Frank.

«Sag niemals nie», antwortete Mr. Big. «Denk drüber nach.»

«Ich habe darüber nachgedacht. Die Antwort ist: **Niemals.**»

«Ich könnte dir was beibringen.»

«Komm, Papa», sagte Frank und zog seinen Vater am Ärmel. «Wir gehen.»

Als die beiden die Tür erreicht hatten, rief Mr. Big dem Jungen nach: «Eines Tages könnte dir all das hier gehören.»

«Lieber würde ich sterben.»

«Das ist machbar», schnurrte Mr. Big.

KAPITEL 39

DIE FIGUR IM SCHATTEN

Frank und sein Vater trotteten schweigend durch Regen und Wind, bis sie eine U-Bahn-Station fanden. Dort saßen sie aneinandergedrängt auf einer Bank und warteten auf den ersten Zug, der sie zurück in die Stadt bringen sollte.

«Deine Mutter liebt dich, weißt du», sagte Papa.

Frank antwortete nicht. Alles, was heute Nacht passiert war, hatte seine Wunden wieder aufgerissen.

«Sie hat früher nie getrunken», sagte Papa.

«Das hat mich traurig gemacht.»

«Komm, ich glaube, wir brauchen beide einen *Knuddler*.»

Die beiden hielten sich ganz fest, bis der Zug einfuhr. Als sie in ihrem Wohnblock ankamen, brach bereits der Tag an. Da der Aufzug immer noch kaputt war, stiegen sie die vielen Treppen hinauf. Als Papa schließlich den Schlüssel in die Wohnungstür steckte, bekamen sie kaum noch Luft.

Sie traten ein. Die Tür des Wohnzimmers öffnete sich. Eine Figur trat aus den Schatten.

Frank hielt sich vor Angst an seinem Vater fest.

«Guten Morgen, Jungs!» Es war Tante Flip.

«Oh, guten Morgen, Tante Flip», sagte Papa.

Er und Frank hatten völlig vergessen, dass sie ja zum Babysitten gekommen war.

«Tut mir leid, dass du die ganze Nacht geblieben bist», sagte Papa. «Du hast geschlafen, als ich zurückkam, und da dachte ich, ich lasse dich einfach.»

«Oh du meine Güte, wie seht ihr denn aus!», sagte Tante Flip und rubbelte hektisch den Schmutz von ihren Kleidern. Als der Schmutz nicht von Franks Gesicht abging, nahm sie ihr Taschentuch heraus, spuckte darauf und rubbelte damit über seine Wange. Dann schnüffelte sie daran. «Das ist ja **Kuhdung**!», rief sie. «Wo bist du nur gewesen?»

«Wir wollten bloß Milch holen», schwindelte Papa.

«Direkt von der Kuh?», fragte sie.

«Äh, nein. Von Rajs Laden», sagte Frank, um die Lüge ein bisschen glaubwürdiger zu machen. «Auf dem Rückweg müssen wir wohl in einen Kuhfladen getreten sein.»

«Wirklich? Also, ich könnte morden für eine Tasse Tee», sagte Tante Flip. «Wo ist die Milch?»

«Welche Milch?», fragte Papa.

«Die Milch, die ihr gekauft habt.»

«Die haben wir wieder zurückgebracht», sagte Frank.

«Wieso?», fragte Tante Flip.

«Sie war abgelaufen», antwortete Papa.

«Das hätten wir uns denken können!», fügte Frank hinzu. «Sie war im Sonderangebot. Aber Raj kann sie bestimmt noch als Käse verkaufen.»

Flip schaute die beiden misstrauisch an. Sie wusste, dass irgendwas faul war, aber was? Sie schob ihr Taschentuch wieder zurück in ihren Ärmel und sah auf die Uhr.

«Oje, schon so spät? Wir gehen lieber los.»

«Wohin?», fragte Papa.

«Erzählt mir nicht, dass ihr das vergessen habt!»

Papa und Frank schauten sich an. Nach den Dramen dieser Nacht hatten sie es wirklich vergessen – nur was genau?

«Entschuldige, ja, wir haben es wirklich vergessen», sagte Frank.

«Die Kirche natürlich!», rief Flip.

«Ach ja. Die Kirche!», sagte Papa und versuchte, ein kleines bisschen begeistert zu klingen. Was ihm nicht gelang.

«Fröhlichen Vatertag, Papa.»

«Danke, Kumpel.»

Tante Flip strahlte. *«Wundervoll!* Und nun macht euch keine Sorgen – ich habe ein ganz besonderes **Vatertagsgedicht** geschrieben, das ihr vor der Gemeinde vortragen könnt.»

Vater und Sohn sahen sich gequält an.

LEERE STÜHLE

Willkommen, willkommen und dreimal willkommen!», sagte Pastorin Judith, als Frank, Papa und Tante Flip die Kirche betraten. Vom Unwetter draußen waren sie vollkommen durchweicht. «Ich hoffe, ich finde für Sie drei Plätze nebeneinander. Wollen Sie zusammensitzen?»

«Wenn es möglich ist», sagte Tante Flip.

Frank sah sich in der Kirche um. Sie platzte beinahe vor ... Stühlen. Leeren Stühlen. Der eifrigen Pastorin Judith war es nicht gelungen, besonders viele Gläubige herbeizulocken, obwohl es Vatertag war. Nur eine alte Dame saß ungefähr in der Mitte. Ihr Hörgerät gab ein hohes Pfeifen von sich.

IIIIIIIIIIIIIHHHHHH!!!

«Hier entlang, bitte», sagte Pastorin Judith und führte die drei nach vorn.

Als sie an der alten Frau vorbeikamen, schrie sie: «Wann gibt es Tee und Kekse, Pastorin? Man hat mir Tee und Kekse versprochen!»

«Tee und Kekse werden gleich nach dem Gottesdienst serviert», antwortete die Pastorin lächelnd.

«Dann komme ich in einer Stunde wieder», sagte die alte Frau, stand auf und verließ die Kirche.

Die arme Pastorin versuchte, sich die Enttäuschung nicht anmerken zu lassen, und führte ihre Gemeinde aus drei Personen zu ihren Plätzen. «Sind Ihnen diese Plätze hier genehm?»

«Perfekt, danke», antwortete Tante Flip. «Und ich möchte Ihnen gern sagen, wie *hübsch* Sie heute aussehen.»

«Oh, danke», sagte die Pastorin verblüfft.

«Haben Sie etwas mit Ihren Haaren gemacht?»

«Ich bin nur schnell mit dem Kamm durch», sagte die Pastorin schulterzuckend.

«Also, es sieht *entzückend* aus.»

«Wie *entzückend* von Ihnen, mir das zu sagen.»

Tante Flip und die Pastorin lächelten sich verlegen an. Frank hatte seine Babysitterin noch nie so erlebt.

«Papa!», flüsterte er seinem Vater ins Ohr.

«Ja?»

«Was passiert da zwischen den beiden?»

«Ich weiß es nicht.»

Keiner von ihnen hatte sich je zuvor Gedanken über Tante Flips Liebesleben gemacht.

«Psssst!», machte Tante Flip. «Nehmt doch Rücksicht auf den Rest der Gemeinde.»

«Aber hier ist doch niemand!», protestierte Frank.

«Das ist eine Kirche! Sie sind im Geiste hier», antwortete Tante Flip. «Machen Sie doch weiter, Pastorin!»

«Danke, Flip!» Kaum hatte Judith mit ihrer Begrüßungsrede begonnen, strömte der Regen durch das Dach auf ihren Kopf, als hätte jemand einen **Hahn aufgedreht**. Judith versuchte, dem Wasser auszuweichen, doch jedes Mal, wenn sie zur Seite trat, traf sie auf eine noch schlimmere Stelle. Sie hatte nicht gelogen: Das Dach musste wirklich dringend repariert werden.

«Willkommen zu diesem besonderen **Vatertags-Gottesdienst**. Es ist schön, in so viele neue Gesichter zu sehen.»

Frank schaute sich um, ob noch jemand anderes gekommen war. Doch da war niemand.

«Zu Beginn möchte ich einen **ganz bestimmten Vater und seinen Sohn** bitten, zu mir an den Altar zu kommen und dem Rest der Gemeinde ihr besonderes **Vatertagsgedicht** vorzulesen.»

Schweren Herzens gingen Vater und Sohn zum Altar und drehten sich zum Meer aus leeren Stühlen.

«‹Vatertag› von Tante Flip», begann Frank.

«Ich mag dich, Papa, sogar sehr.»

Der Regen strömte vom Dach auf Franks Kopf. Dann sprach Papa weiter.

«Und ich mag dich,
Sohn, sogar noch mehr.
Ich freute mich gleich
über mein kleines Kindel,
auch wenn ich dir wechseln
musste die Windel.»

Papa grinste, weil er noch nicht nass geworden war. Doch dann schwappte plötzlich ein ganzer **Schwall Wasser** vom Dach, als hätte jemand einen Eimer ausgeleert, und landete direkt auf seinem Kopf.

«Ich machte dir immer ein Geschenk hinein,
manchmal in Groß und manchmal in Klein.»

In diesem Moment schwang die Kirchentür auf.

KNAARRR!

Oberwachtmeister Spötter marschierte herein und nahm in der ersten Reihe Platz.

Papa und Frank schauten sich nervös an. Was machte der hier? Sie versuchten, so zu tun, als wäre nichts passiert. Aber wenn sie dachten, ihr Gedicht könnte gar nicht schlimmer werden, dann hatten sie sich geirrt.

«Dein Anblick ließ mich jubeln, jo-ho!

Deine Augen, deine Zehen, sogar dein Popo»,

fuhr Papa fort.

Wieder ging die Tür auf.

KNAARRR!

Diesmal kamen gleich mehrere Polizisten herein. Sie nahmen die Helme ab, weil sie in einer Kirche waren, setzten sie aber gleich wieder auf, um nicht nass zu werden.

Frank schaute zu Pastorin Judith hinüber, die vor Freude **strahlte**, weil sich ihre Kirche füllte. Zögerlich setzte Frank das Gedicht fort.

«Lieber Papa, du bist wirklich The Best ...»

Doch bevor er die nächste Zeile lesen konnte, sprang **Wachtmeister** Spötter begeistert auf und rief:

«Nein, ist er nicht – darum nehm ich ihn fest!»

KAPITEL 41

SCHULDIG

Die Polizei hatte das Fluchtauto auf der Weide gefunden. Der Regen hatte den Großteil der gelben
Farbe vom Mini abgewaschen, und darunter war
die britische Fahne zum Vorschein gekommen. Es
gab keinen Zweifel, dass es **QUEENIE** war. Das führte die Polizei auf die Spur des Hauptverdächtigen,
den Autobesitzer Gilbert Goodie. Er wurde in der
Kirche verhaftet, zur Polizeiwache gebracht und
ins Gefängnis gesteckt. Wochen vergingen, bis die
Gerichtsverhandlung stattfand. Und es überraschte
niemanden, dass die Geschworenen ihn …

«SCHULDIG!», sprachen.

Alle Blicke im Gerichtssaal richteten sich nun
auf Richter Eisern. Der strenge alte Mann saß

etwas erhöht, wie auf einem Thron. Er trug eine rote Robe und eine merkwürdige alte weiße Perücke auf dem Kopf. Als Angeklagter musste Papa auf der Anklagebank sitzen. Wachtmeister Spötter stand sehr zufrieden neben ihm. Unten im Gerichtssaal saßen die Jury, Anwälte, Gerichtshelfer und Wachmänner. Oben auf der Tribüne saßen die Zuschauer, darunter Frank und Tante Flip. Ein paar Reihen hinter ihnen saßen Finger und Däumling. Frank nahm an, dass Mr. Big sie geschickt hatte, damit sie ihm später alles berichteten.

«Mr. Goodie, die Jury befindet Sie für **schuldig**. Und ich möchte hinzufügen, dass ich persönlich sehr enttäuscht von Ihnen bin», sagte Richter Eisern. «Sie haben einen kleinen Sohn, und trotzdem haben Sie sich mit dem organisierten Verbrechen eingelassen. Und eine Bank ausgeraubt! Eine halbe Million Pfund gestohlen! **Geld**, wie ich hinzufügen möchte, das nie gefunden wurde. Sie müssen doch wissen, wo das **Geld** versteckt ist, und trotzdem, Mr. Goodie, weigern Sie sich, es der Polizei zu sagen. Sie müssen Komplizen gehabt haben, aber Sie

wollen sie nicht nennen. Dies ist ohne Zweifel der Ehrenkodex von Kriminellen.»

Frank sah über die Schulter zu Finger und Däumling, die den Jungen finster angrinsten.

«Doch für jeden anständigen gesetzestreuen Bürger ist es unehrenhaftes Verhalten. Sie sind ein schlechter Mann, Mr. Goodie. Und, schlimmer noch, ein **schlechter Vater. Ein richtiger Banditen-Papa.**»

Diese Bemerkung traf Gilbert wie ein Schlag. Er schaute seinen Sohn mit Tränen in den Augen an, während der Richter seine Strafe verkündete. **«Gilbert Goodie, ich verurteile Sie zu zehn Jahren Gefängnis!»**

42

NIEMAND SAGT NEIN

«PAPA!», schrie Frank, als sein Vater von Wachtmeister Spötter in Handschellen abgeführt wurde.
«NEIN!», schluchzte er. Bis sein Vater aus dem
Gefängnis kam, wäre er schon ein
erwachsener Mann.

«Es tut mir so leid, Kumpel!»,
rief Papa. «Bitte kümmere dich
um ihn, Tante Flip.»

«Das tue ich!», rief die
Dame und zog ihr Baumwoll-
taschentuch aus dem Ärmel,
um Frank die Augen abzu-
trocknen. «Wein nicht, Frank.
Ich sorge für dich.»

«Ich will meinen Papa», schniefte Frank.

«Ich weiß, ich weiß. Es tut mir leid, dass ich nicht dein Papa bin. Aber wir müssen irgendwie das Beste daraus machen. Jetzt komm mit.»

Tante Flip nahm Frank an der Hand und führte ihn aus dem Gerichtssaal, doch plötzlich stellten sich ihnen Finger und Däumling in den Weg.

«Entschuldigen Sie mal!», sagte Tante Flip, doch die beiden wichen nicht zur Seite.

«Gut, dass dein Papa nicht gequatscht hat», sagte Finger. «Wer weiß, was sonst mit dir passiert wäre. Oder deinem Papa im Gefängnis.»

«Meine sechs Brüder sind alle im Knast», meinte Däumling.

«Sie müssen sehr stolz auf sie sein», sagte Tante Flip. «Und nun machen Sie bitte Platz.»

Doch die beiden blockierten weiter den Weg.

«Wer sind Sie?», wollte Flip wissen.

«Wir sind Freunde von Franks Vater», meinte Finger.

«Das sind **keine** Freunde!», sagte Frank. «Die haben Papa überhaupt in diese schreckliche Lage gebracht.»

Finger hielt einen langen dünnen Finger an seine Lippen. «Pass auf, was du sagst.»

«**Jetzt lassen Sie uns gehen!**», sagte der Junge und versuchte, sich an den beiden Kerlen vorbeizudrängeln.

«Nicht so eilig, Junge. Wir kommen mit einer Einladung», sagte Finger. «Mr. Big will dir ein Angebot machen. Er möchte, dass du ihn besuchen kommst.»

«Ich habe gesagt, **niemals!**», sagte Frank.

«LASSEN SIE UNS VORBEI!», verlangte Tante Flip. **«Sonst brauche ich Gewalt!»** Und sie hob die Handtasche, bereit, sie den Männern über den Kopf zu ziehen.

«Niemand sagt ‹**Niemals**› zu Mr. Big», sagte Finger. Er trat zur Seite und verbeugte sich spöttisch, als Frank und Flip vorbeigingen. Als sie die Tür erreichten, rief er hinter ihnen her: «Jedenfalls niemand *Lebendiges*!»

KAPITEL

43

STINKEKÄSE

In dieser Nacht, in der Frank bei Tante Flip schlief, wurde sein Kissen nass von Tränen. Flip hörte ihn bis in die Küche und brachte ihm ein neues Kissen herauf. Sie saß neben ihm an dem kleinen rosa Bett in ihrem kleinen rosa Gästezimmer und strich Frank über den Kopf.

«Jetzt fühlt es sich noch so an, als würdest du durch ein schreckliches Unwetter wandern, Frank», sagte Tante Flip. «Aber ich verspreche dir, dass der Regen nach einer Weile nachlässt.»

Leider tat er das nicht. Tag für Tag fühlte sich Frank, als würde er mitten durch ein **heftiges Gewitter** gehen.

In der Schule wurde er dafür gehänselt, dass sein

Vater ‹eingebuchtet› worden war. Wenn an der Schule irgendetwas verlorenging, gab man sofort Frank die Schuld. Ein besonders scheußliches Mädchen in seiner Klasse sagte: «Franks alter Herr ist ein Dieb. Darum ist Frank natürlich auch einer.»

Aber Frank wusste tief in seinem Herzen, dass sein Vater kein Dieb war. Er war ein guter Mann, der etwas Schlechtes getan hatte. Papa hatte einen Berg von Schulden angehäuft, weil er das Beste für seinen Sohn tun wollte. Jetzt musste Frank das Beste für seinen Vater tun. Aber wie?

Tante Flips kleines Haus quoll von Nippes über. Für Frank war kaum Platz, denn jeder Stuhl oder Tisch und jede Kommode waren vollgestellt mit Fingerhüten, Porzellanpüppchen, Büchern mit Ledereinbänden, Tierfigürchen und altmodischen Teddybären.

Das Leben mit Tante Flip hätte nicht unterschiedlicher sein können. Sie saß sogar bei seinen Hausaufgaben neben ihm und passte auf, dass jedes i einen Punkt bekam und jedes t einen Strich. Manchmal korrigierte sie sogar die Schreibfehler der Lehrer.

«Ich muss leider sagen, dass deine Geschichtslehrerin völlig inkompetent ist! Sie kann ja nicht einmal ‹Bayeux› richtig schreiben!»

Zum Nachmittagstee gab es niemals Pommes frites. Stattdessen backte ihm Tante Flip eine ihrer Quiches, die Frank schon immer furchtbar gefunden hatte. Tante Flip war *die Königin der Quiche*. Dieses köstliche Gebäck war das Einzige, was sie aß.

Ihre Rezepte waren allerdings auch nicht nach jedermanns Geschmack – es gab Quiche mit:

- *eingelegten Zwiebeln und Roter Beete*
- *Curry-Ei und Kohl*
- *Stinkekäse und Steckrüben*
- *Pfau, Pastinake und Pflaume*
- *Dosenfleisch und Dosenfleisch*
- *Aal und Artischocke*
- *Krabben und Mövenei*
- *Rosenkohl und Ziegenkäse*

Nach dem Essen fand immer eine ‹Gedichts-
stunde› statt, die sich aber auch zu zwei oder drei
Stunden ausdehnen konnte.

«Das nächste Gedicht heißt ‹Ode an einen Baum›
und ist von mir», gab sie großspurig bekannt, dann
las sie laut vor:

«Oh Baum, oh Baum,
du wunderschöner Baum,
du wackelst im Wind
wie ein fröhliches Kind,
könnte ich nur sein wie du,
so frei, huhu,
doch es wird bleiben ein Traum,
denn ich bin ja kein Baum.»

«Zzzz! Zzzz! Zzzz! Zzzz!»

Frank tat immer so, als würde er schlafen. Es
war die einzige Möglichkeit, seine Tante beim Vorlesen zu unterbrechen.

Doch als aus Tagen Wochen wurden und aus den
Wochen Monate, gewann Frank seine Tante immer

lieber. Sie zeigte ihm gegenüber Herzlichkeit, als er sie am meisten brauchte. Als sein Vater ins Gefängnis kam, hatte Frank erwartet, dass seine Mutter sich bei ihm meldete. Doch das tat sie nicht. Tante Flip war alles, was er hatte.

Jeden **FREITAGABEND** besuchten die beiden die Bibliothek, wo Flip arbeitete; und während Frank las, vergaß er für eine Weile seine Sorgen. Er fand sogar Gefallen an Gedichten.

Jeden **SAMSTAG-MORGEN** gingen sie in den Park.

Flip gab Frank immer eine Münze für den Wunschbrunnen, doch sein Wunsch ging nie in Erfüllung: Sein Vater blieb im Gefängnis.

Jeden **SONNTAGMOR-GEN** nahm Flip Frank mit in die Kirche, wo sie die einzigen Besucher waren. Und jeden Abend schüttelte Flip das Tischtuch aus und deckte ihren kleinen Holztisch für zwei Personen.

Als eines Tages ein dritter Teller auf dem Tisch stand, war Frank natürlich neugierig.

44

HEUSCHNUPFEN

Toll, dich wiederzusehen, Frank!», sagte die Dame, die vor der Tür stand. In der Hand hielt sie einen Strauß Wildblumen.

«Hallo, Pastorin Judith», sagte Frank. Er blieb in der Tür stehen.

«Darf ich reinkommen?», fragte sie.

«Wenn das die Pastorin ist, dann lass sie bitte sofort rein!», rief Flip aus der Küche.

«Na, das höre ich ja selten», sagte Pastorin Judith.

Flip flatterte in ihrem **fließendsten, blumigsten** Kleid herbei. Als sie die Blumen sah, war sie ganz gerührt.

«Für mich?», fragte sie.

«Ja!», antwortete Judith. «Ich habe sie selbst gepflückt.»

«Noch nie hat mir jemand Blumen mitgebracht. Vielen Dank.» Flip schnupperte an den Blumen und musste sofort niesen.

«HATSCHIII!»

«Alles in Ordnung?», fragte die Pastorin.

«Ja, ja. Ich bin ein wenig allergisch auf Blumen, aber ich liebe sie.» Flip stellte sie in eine Vase auf den Esstisch. **«HATSCHIII!»**, nieste sie wieder, diesmal lauter.

«Sie waren also niemals verheiratet?», fragte die Pastorin.

«Verheiratet?», fragte Flip. «Ich bin noch nicht mal geküsst worden!»

«Wirklich?», sagte die Pastorin.

«Ja. Nicht ein Mal. All dieser romantische Kram ist ganz an mir vorbeigegangen.»

Es war so eine traurige Vorstellung, ein ganzes Leben ohne Liebe gelebt zu haben, dass weder Frank noch Judith wussten, was sie dazu sagen sollten.

Zum Glück brach Tante Flip das Schweigen. «Setzen wir uns doch zum Essen», sagte sie.

Die drei nahmen am gedeckten Tisch Platz.

«Ich hoffe, ihr mögt Kaninchen und Löwenzahn-Quiche!», sagte Flip.

Frank verzog das Gesicht.

Die Pastorin sagte: «Ich habe es noch nie gegessen, aber bestimmt schmeckt es köstlich. Lassen Sie mich ein Gebet sprechen.»

Flip schloss die Augen, also tat Frank es auch.

«Lieber Gott, segne heute Abend diese Quiche. Und segne dieses besondere Gemeindemitglied, das sie gebacken hat. Amen.»

«Amen.»

«Amen», sagte Frank, auch wenn er nicht wusste, was ‹Amen› eigentlich bedeutete.

Die Pastorin nahm einen Bissen von ihrem Stück und zog eine Grimasse.

«Wie schmeckt es?», fragte Flip.

«Köstlich!», log die Pastorin. Irgendwie waren Flips Quiches immer zäh und schwer zu kauen.

«Wundervoll. Also, wie war es Sonntag in der Kirche, Pastorin?»

«Nennen Sie mich gern Judith.»

Die beiden Frauen kicherten. Frank fühlte sich

zwischen ihnen völlig fehl am Platz.

«Wie war es Sonntag in der Kirche, Judith?
HATSCHIIII!» Diesmal nieste Flip noch
lauter. «Entschuldigen Sie, Judith. Ich fürchte, ich
habe Sie etwas nass geniest.»

«Macht nichts», sagte Judith und wischte sich etwas Schnodder vom Auge.

«Frank und ich tat es so leid, dass wir
die Messe verpasst haben. Erzähl Judith, wo
wir waren, Frank.»

«Bei einem **Gedicht-Wettbewerb**», seufzte
Frank bei dem Gedanken an das langweilige Wo-
chenende.

«Oh, wie ist es gelaufen?», fragte die Pastorin.

«Sehr gut», antwortete Tante Flip. «Ich bin siebenundneunzigste geworden!»

«Herzlichen Glückwunsch. Siebenundneunzigste!»

«Danke.» Flip wurde vor Stolz ganz rot.

«Wie viele Teilnehmer gab es?»

«Achtundneunzig», antwortete Frank.

«Nun, das ist nicht schlecht», sagte Judith, die versuchte, die positive Seite zu sehen.

«Eine Dichterin wurde disqualifiziert, weil sie eine Konkurrentin gebissen hat», fügte Flip hinzu. «Sie hat behauptet, die andere hätte ihr einen Reim gestohlen. Sie hatte **Gurken** mit **Schurken** gereimt.»

«Oje», sagte Judith, die auf einmal von ihrer Quiche abgelenkt schien.

«Das war das einzig Interessante», grinste Frank.

«Nein, war es nicht!», fauchte Flip. «Wie Sie sich vorstellen können, hat die Lyrik-Gesellschaft bei Beißerei eine **Null-Toleranz-Politik.**»

«Ich kann es mir vorstellen.»

«HATSCHIIII!»

Eine weitere Ladung Schnodder flog über den Esstisch und traf die Pastorin.

«Sollen wir die Blumen wegstellen?», fragte Judith.

«Das ist vermutlich eine gute Idee. Frank? Sei ein lieber Junge.»

Frank nahm die Vase und trug sie in die Küche.

«Also, wie viele Gläubige waren am Sonntag in der Kirche?»

Die Pastorin zögerte etwas. «Nur einer», murmelte sie.

«Das ist nicht so schlecht, Judith. Zumindest eine Person ist gekommen.»

«Nein. Das war nur ich», antwortete die Pastorin.

«Oje.»

«Ja, oje.»

Frank kam zurück zum Tisch und verkündete: «Wissen Sie, was? Papa und ich werden jeden Sonntag in die Kirche kommen ...»

Die beiden Frauen sahen sich an. Wovon redete der Junge da? Sein Vater hatte eine Gefängnisstrafe von zehn Jahren vor sich. Er würde eine lange Zeit nicht in die Kirche kommen.

«... wenn ihr ihm dabei helft, aus dem Gefängnis auszubrechen!»

KAPITEL

45

MASTERPLAN

«Ich bin Pastorin!», rief die Pastorin.

«Und ich bin Bibliothekarin!», rief die Bibliothekarin.

«Wir können doch nicht deinem Vater beim Ausbruch helfen!»

«HÖRT MIR DOCH BITTE ERST MAL ZU!», sagte der Junge. Schnell erzählte er den beiden Damen die ganze Geschichte. Wie Papa sich von dem bösen Mr. Big Geld geliehen hatte und wie sich die Schulden aufgetürmt hatten. Wie sein Vater zum Bankraub genötigt wurde. Und dass er bei der Verhandlung geschwiegen hatte, damit Frank nicht von Finger und Däumling verprügelt wurde. «Der Richter hatte unrecht. Mein Papa ist kein

Banditen-Papa. Er ist ein guter Mann, der etwas Schlechtes angestellt hat. Aber er hat es getan, damit es mir gut geht. Er verdient es nicht, im Gefängnis zu sein. Wir müssen ihm helfen, da rauszukommen.»

Die beiden Frauen sahen sich schweigend an. Pastorin Judith sprach als Erste: «Deinem Vater ist großes Unrecht geschehen, daran besteht kein Zweifel. Ich wünschte, ich könnte etwas tun, um dieses Unrecht wieder geradezurücken.»

«Aber, bei allem Respekt, Judith: Ein weiteres Unrecht zu begehen, ist nicht die Lösung», meinte Flip. Dann sagte sie zu Frank: «Es tut mir leid, aber du bittest uns um etwas Kriminelles. Ich verspreche dir, diese zehn Jahre werden wie im Flug vergehen.»

Jetzt wurde Frank aber wütend. «Im Flug?! ZEHN JAHRE?! In zehn Jahren bin ich einundzwanzig! Ein alter Mann!»

Er sprang auf und stieß dabei seinen Stuhl um.

BÄNG!

«Und weißt du, was, Tante Flip? Ich *hasse* Quiche! Und Gedichte! Ich will meinen Papa zurück! Und wenn ihr mir nicht helfen wollt, dann mache ich es eben allein!»

Damit rannte er aus dem Esszimmer und die Treppe hinauf in sein Zimmer.

«FRANKIE!», rief ihm Flip hinterher.

Frank knallte die Tür hinter sich zu und warf sich auf sein kleines rosa Bett. Unten konnte er die beiden Frauen reden hören. Frank nahm ein leeres Glas vom Nachttisch und glitt vom Bett. Dann legte er sein Ohr an das Glas und stellte es auf den Fußboden, sodass er hören konnte, was die beiden unten sagten.

«Diese beiden Handlanger terrorisieren alle Leute in der Stadt», sagte Judith. «Man muss sie aufhalten. Sie haben sogar den goldenen Kommunionskelch aus der Kirche gestohlen.»

«Wie schrecklich! Ich

habe sie im Gerichtssaal gesehen – ein wirklich grässliches Paar.»

«Es ist nicht fair, dass der Vater des Jungen nun den Preis für ihre Verbrechen bezahlt.»

«Du vergisst, dass er das Fluchtauto gefahren hat. Das lässt sich nicht abstreiten. Gilbert hat ein ernsthaftes Verbrechen begangen.»

«Aber nur, um seinen Sohn zu schützen!»

«Oh, was für ein Durcheinander. Aber wenn mein Neffe wirklich aus dem Gefängnis ausbrechen würde, dann würde er geschnappt und wieder eingesperrt. Und diesmal für länger!»

«Wir müssen aber doch etwas tun.»

«Wenn es nur einen Weg gäbe, das Geld wieder zurückzubringen.»

PING!

In Franks Kopf blitzte eine **Idee** auf. Genau das konnte er tun, um seinem Vater zu helfen: das Geld wieder in die Bank zurückbringen. Wie konnte Papa schuldig sein, wenn gar kein Geld fehlte?

Vor Aufregung zitternd, schrieb Frank seinen Masterplan auf:

MASTERPLAN

1. IN MR. BIGS LANDHAUS EINBRECHEN

2. EINE HALBE MILLION PFUND AUS DEM SAFE STEHLEN

3. IN DIE BANK EINBRECHEN

4. EINE HALBE MILLION PFUND IN DEN SAFE DER BANK LEGEN

Es war einfach, aber brillant. Es gab nur ein Problem: Frank hatte absolut keine Ahnung, wie er seinen Plan in die Tat umsetzen sollte. Er wusste nur, dass er es niemals allein schaffen konnte. Er brauchte einen Erwachsenen, der ihm half. Aber wen?

KAPITEL 46

EIN RÄTSEL

Frank kannte einen Menschen, von dem er sich Rat holen konnte. Der liebenswerte Kioskbesitzer Raj.

DING!

«Ah, mein Lieblingskunde!», rief Raj, als er den Jungen sah. Der Kioskbesitzer bemühte sich, fröhlich wie immer zu wirken, doch er sah traurig aus. Gerade fegte er Glasscherben zusammen. Jemand hatte das Schaufenster seines Ladens eingeworfen.

«Alles in Ordnung, Raj? Was ist denn passiert?»

Raj nahm einen Ziegelstein vom Tresen. «Der hier ist mitten in der Nacht durchs Fenster geflogen. Mit einem Zettel umwickelt. Schau.»

Auf dem Zettel stand:

WIR VERLANGEN
200 PFUND
NÄCHSTE WOCHE ODER
DER STEIN TRIFFT
DEINEN KOPF!

«Von Finger und Däumling?», fragte Frank.

«Natürlich.»

«Denen muss man das Handwerk legen.»

«Ich weiß, ich weiß. Ich habe das Geld nicht.»

«Tut mir leid, dass ich heute nichts dabeihabe.»

«Das ist okay, junger Mann. Ich weiß, die Zeiten sind hart, wo dein Vater im Gefängnis sitzt.» Raj legte Frank tröstend den Arm um die Schulter. «Bitte bedien dich an den Süßigkeiten in meinem Laden. Umsonst.»

«Umsonst?» Frank traute seinen Ohren kaum.

«Ja, alles, was du möchtest.»

«Wow! Danke, Raj.»

«Bis zu einem Preis von **acht Pence**.»

«Oh.» Frank konnte seine Enttäuschung nicht verbergen. Er nahm den kleinsten Schokoriegel, den er finden konnte.

«Der kostet **zehn Pence**, junger Mann.»

«Oh.»

«Gib ihn mir, bitte», sagte Raj. Frank tat es. Raj wickelte die Folie ab, biss vom Ende ab und reichte Frank den Schokoriegel wieder zurück.

«Das war ein **Zwei-Pence-Biss**. Jetzt sind wir quitt.»

«Danke, Raj.» Frank war zu hungrig, um sich Gedanken über Rajs Spucke zu machen, und verschlang die Schokolade in wenigen Sekunden. «Mein Papa ist kein Verbrecher, weißt du.»

«Bestimmt nicht. Dein Vater ist ein guter Mann.»

«Finger und Däumling haben ihn gezwungen!»

«Das glaube ich. Und sie laufen frei herum und bedrohen alle Einwohner der Stadt, während dein armer Vater im Gefängnis sitzt.»

«Ich kann es kaum ertragen.»

«Das glaube ich. Hier, nimm einen Brausebonbon.»

«Danke, Raj», sagte Frank und steckte sich den Himbeer-Brausebonbon für später in die Tasche. «Papa ist einfach in diese schlimme Schuldenfalle geraten, die immer größer wurde. Er wollte mir nur helfen. Und jetzt muss ich ihm helfen. Ich muss bloß die **halbe Million Pfund** von den Männern zurückstehlen, die sie als Erste gestohlen haben, und sie zurück zur Bank bringen.»

Raj dachte einen Moment nach. «Und wenn nichts gestohlen wurde, muss der Richter deinen Vater aus dem Gefängnis entlassen.»

«Genau das denke ich auch!»

«Aber wie willst du denn das Geld stehlen und zur Bank bringen?»

Der Junge sah zu Boden. «Ich weiß es nicht.»

«Oh», antwortete der Kioskbesitzer. «Ich habe leider auch keine Idee.»

«Der einzige Mensch, der mir dabei helfen könnte, ist mein Papa», sagte Frank.

«Na ja, du kannst ja einfach zehn Jahre warten, bis er aus dem Gefängnis kommt, und es dann tun.»

Frank starrte den Kioskbesitzer an. So doof konnte doch keiner sein. «Das wäre doch sinnlos, Raj, denn dann hätte er ja seine Zeit schon abgesessen.»

«Ach ja. Wie dumm von mir!» Der Kioskbesitzer verpasste sich selbst eine Ohrfeige.

«Um meinen Vater aus dem Gefängnis zu holen, muss ich ihn aus dem Gefängnis holen.»

Raj sah verwirrt aus. «Das klingt wie ein Rätsel, aber du hast recht. Das Problem ist nur, dass dein Vater im bestbewachten Gefängnis des Landes sitzt. Keiner hat es je geschafft, aus dem **Wrongfoot-Gefängnis** zu entkommen.»

«Nein?»

«Nein, nach Wrongfoot werden doch nur die schlimmsten Kriminellen geschickt.»

«Das ist unfair!», rief Frank. «Mein Vater hat es

nicht verdient, dort zu sein. Ich wünschte, ich wäre bei ihm. Aber jetzt muss ich bei seiner Tante Flip wohnen.»

Raj fiel etwas ein. «Heute Morgen war diese Tante Flip hier. Sie wollte wissen, ob ich auch frische Gänse verkaufe.»

«Gänse?»

«Sie sagte, sie bräuchte eine für eine Quiche.»

«Oh nein! Das ist bestimmt für mein Abendessen.»

«Ich habe ihr gesagt, sie könnte vielleicht eine am Teich fangen. Sie war noch nie in meinem Laden.»

«Woher weißt du dann, dass sie es war?», fragte Frank.

«Sie sieht genauso aus wie dein Vater. Älter natürlich, und sie ist eine Dame, aber ich konnte ihre Ähnlichkeit sofort erkennen. Dieselben abstehenden Ohren wie du. Das soll keine Beleidigung sein!»

«Schon gut!», knurrte Frank.

«Ich habe sie gefragt, ob sie mit deinem Vater verwandt ist. Und dann hat sie mir gesagt, wer sie ist. **Ehrlich, die beiden könnten Zwillinge sein!**»

Gilbert und Tante Flip

Frank verzog das Gesicht. «Findest du?»

«Setz ihm eine Brille auf, dann ist er ihre Zwillingsschwester.»

«Ha! Ha!», kicherte der Junge. Und dann riss er die Augen auf – denn auf einmal hatte er einen Plan. «Raj, du bist ein Genie!»

«Bin ich das?»

«JA!» Frank hätte vor Freude am liebsten getanzt. Er packte Raj und küsste ihn auf die kahle Stelle auf seinem Schädel. «Danke, danke, danke!»

«Was habe ich denn gemacht?», fragte Raj verwirrt.

«Tut mir leid, Raj. Das ist jetzt ein Geheimnis!»

DING!

Frank lief auf die Straße. Jetzt musste er nur noch seine Tante Flip dazu überreden, mit seinem Papa den Platz im Gefängnis zu tauschen. **Wie schwer konnte das schon sein?**

KAPITEL

47

WOHER HAST DU DIESE GANS?

«NEIN!», schrie Tante Flip. «NEIN! NEIN! NEIN! NEIN! NEIN! EINHUNDERT PROZENT NEIN.»

«Das heißt also nein?», fragte Frank.

«JA! Das heißt NEIN! Und jetzt iss deine Gänse-Gänseblümchen-Quiche auf.»

Die beiden saßen zusammen am Esstisch in Tante Flips kleinem Haus. Frank hatte schon befürchtet, dass seiner Großtante die Idee vielleicht nicht gefallen würde, mit seinem Vater den Platz im Gefängnis zu tauschen, aber noch wollte er nicht aufgeben.

Er biss von seiner Quiche ab. Wie immer schmeckte sie grässlich. «Tante Flip?»

«Ja?»

«Wo hast du die Gans her?»

Seine Tante sah verlegen aus. «Von einem Laden.»

«Was für einem Laden?»

«Dem Gänseladen», sagte sie und wich seinem Blick aus. Dann stand sie auf und verschwand in der Küche. Das war die perfekte Gelegenheit für Frank, den Rest der Quiche aus dem Fenster zu werfen.

SSSST!
PLATSCH!

Leider hatte Frank nicht gemerkt, dass das Fenster geschlossen war, und jetzt lief die Quiche an der Scheibe herunter.

«Upps», machte Frank und wischte mit dem Ärmel die Reste von Gänsefleisch, Gänseblümchen und Teig vom Fenster. Dann trug er seinen leeren Teller in die Küche.

«Das war köstlich, Tante Flip», schwindelte er.

Sie strahlte. Noch nie hatte ihr jemand ein Kompliment zu ihrer Quiche gemacht. «Oh, danke. Möchtest du noch ein Stück?»

«Nein, nein, nein», antwortete Frank schnell. «Ich bin total satt. Du hast so lecker gekocht – das war eine der besten Quiches aller Zeiten. Komm, ich übernehme heute den Abwasch.»

«Was für ein netter Junge du bist. Danke. Dann trockne ich ab.»

Frank stand am Spülbecken und wusch die Teller ab. Wenn er seine Großtante von seinem Plan überzeugen wollte, dann musste er behutsam vorgehen. «Die Pastorin ist so eine nette Frau, oder?»

«Oh ja, sehr.»

Frank reichte seiner Großtante einen gespülten Teller. «Du solltest sie noch mal zum Essen einladen.»

«Mal sehen», antwortete Flip.

«Was hält dich davon ab?»

«Ich weiß es nicht. Angst, vielleicht.»

«Angst wovor?»

«Oh, davor, was passieren könnte. Zwischen ihr und mir. Ich mag sie gern, Frankie, weißt du. Sehr gern.»

«Na, aber davor muss man doch keine Angst haben.»

Tante Flip stieß einen traurigen Seufzer aus. «Mein ganzes Leben war von Angst bestimmt. Vielleicht bin ich deswegen nie geküsst worden.»

«Vielleicht. Dann ist doch jetzt eine gute Gelegenheit, das zu ändern.»

Tante Flip schien diesen Gedanken langsam sacken zu lassen.

«Wie lange genau müsste ich den Platz mit deinem Vater tauschen?», fragte sie vorsichtig.

«Bloß eine Nacht», antwortete Frank leichthin. «Nur eine Nacht im Gefängnis. Fast wie ein kleiner Urlaub. Wenn Papa draußen ist, können wir zusammen das Geld von Mr. Big zurückstehlen und es wieder in die Bank bringen. Am nächsten Morgen könnt ihr dann wieder die Plätze tauschen.»

«Gleich ganz früh am Morgen?»

«Ja, ganz früh.»

«Ich habe gehört, das Frühstück im Gefängnis soll nicht besonders sein.»

«Du musst da nicht frühstücken.»

«Ich weiß nicht …»

«Betrachte es einfach als **Abenteuer**.»

«Ich habe noch nie ein **Abenteuer** erlebt.»

«Also, dann kannst du jetzt damit anfangen. Und es würde mich nicht überraschen, wenn Judith dich deswegen für eine Heldin hält!»

«Glaubst du wirklich?»

«Bestimmt.»

Flip holte tief Luft. «Frankie, das Aufregendste in meinem Leben war, als ich jemandem eine Strafe von dreiundzwanzig Pfund aufbrummen musste, weil er sein Buch über ein Jahr lang nicht zurückgebracht hat», gestand sie. «Das ist alles so …»

«Aufregend?», fragte Frankie.

«Ja, das ist es! **Aufregend!**» Tante Flip strahlte. «Nicht zu **aufregend**, bloß **aufregend**! Frank, es ist zwar verrückt, aber ich bin dabei!»

«JA!»

WRONGFOOT

Jeden Samstag war Besuchertag im Gefängnis.
Für Frank konnte er nicht schnell genug kommen.
Das **Wrongfoot-Gefängnis** war ein großes,
hässliches Gebäude mit einer großen, hässlichen
Mauer drum herum. Die Besuchszeiten waren

streng geregelt, und Frank und Flip mussten sich in die lange Schlange stellen, die sich vor dem Eingang gebildet hatte.

Dort standen schwangere Frauen in Leggins, schreiende Kleinkinder, weinende Mütter, unheimliche Männer und noch unheimlichere Frauen mit kahl rasierten Schädeln.

Flip trug eine frisch gebackene Pfau-mit-Pflaumen-Quiche in einer Schachtel für Franks Vater.

Das Problem war nur, dass sie die Schachtel vor lauter Aufregung nicht stillhalten konnte. Es klang, als wären hundert Springfrösche in der Schachtel.

RASSEL!

  RASSEL!

    RASSEL!

«Halt die Schachtel doch bitte ruhig, Tante Flip!», zischte Frank. «Alle starren uns schon an.»

Tante Flip sah sich um. Hundert Augenpaare schauten zurück. Selbst die schreienden Kinder hatten kurz aufgehört zu schreien und starrten mit **offenem** Mund.

«Hier gibt's nichts zu sehen!», verkündete Tante Flip, was nur noch auffälliger und verrückter wirkte. **«Nur eine Quiche in einer Schachtel. Beachtet mich gar nicht.»**

Frank riss ihr die Schachtel aus der Hand.

«Bleib einfach ruhig», sagte er zu ihr. «Das wird ein **Kinderspiel.**»

«Ein **Kinderspiel**? Ich habe die ganze Woche nicht geschlafen!»

Flip hatte den ganzen Morgen damit zugebracht, ihre Haare so zu frisieren, dass sie Gilbert ähnlich sahen. Sie hatte außerdem ihr **längstes**, wallendstes Kleid angezogen, das ihm hoffentlich passen würde.

Der Plan sah so aus: Frank würde die Quiche im richtigen Moment fallen lassen; dann sollten Flip und Papa unter den Tisch krabbeln, um die Stücke aufzusammeln. Unter dem Tisch würden sie die Kleider tauschen. Wenn alles nach Plan lief, würde Papa das Gefängnis als Tante Flip verlassen, und Tante Flip würde als Papa verkleidet im Gefängnis bleiben. Was konnte schon schiefgehen?

«Was ist in der Schachtel?», blaffte der Gefängniswärter, als die beiden vor den Besucherraum kamen. Auf seinem Namensschild stand **Mr. Glubsch**. Er war kaum zu übersehen mit seinem dicken Glasauge, das beim Reden in seiner Augenhöhle herumkullerte.

«Eine Q-Q-Q…» Tante Flip war so nervös, dass sie nicht sprechen konnte.

Der Wärter schaute Flip fragend an. «Was ist eine Q-Q-Q?»

«Eine Quiche, Mr. Glubsch, Sir!», sagte Frank und öffnete die Schachtel, um sie ihm zu zeigen. Viele Leute versuchten, etwas Verbotenes ins Gefängnis zu schmuggeln – Alkohol, Handys und Waffen –, darum musste alles geprüft werden. Mr. Glubsch steckte die Nase in die Schachtel und schnüffelte. Sein Gesicht färbte sich **grünlich**.

«Was ist dadrin?», wollte er wissen.

«Pfau mit Pflaume», antwortete Flip stolz.

«Igitt!», antwortete Mr. Glubsch. «Gehen Sie weiter, los, los!»

Die beiden *eilten* in den Besucherraum. Dort war alles grau: graue Wände, graue Möbel, graue Menschen. Papa saß in seiner grauen Gefängniskleidung auf der anderen Seite des Raums. Als er seinen Sohn erblickte, sprang er mit Tränen in den Augen auf. Er sah froh und traurig zugleich aus.

«KUMPEL!»

«PAPA!», rief Frank und lief seinem Vater in die Arme.

Sie umarmten sich so fest, als wollten sie sich nie wieder loslassen.

«Ich bin so froh, dich zu sehen, Kumpel», schniefte Papa.

«Und ich bin noch froher, dich zu sehen. Ich hab dich so vermisst.» Und dann flüsterte Frank: «Papa?»

«Ja?»

«Das hört sich jetzt vielleicht komisch an, aber du musst mir vertrauen. Ich werde dich nämlich hier rausholen?»

«RAUS?»

«Nicht so laut, Papa», flüsterte Frank.

«'tschuldigung.»

«Du musst mir vertrauen und genau das tun, was ich dir sage.»

Tante Flip war mittlerweile bei ihnen angekommen und stand hinter Frank. «Guten Tag, ich habe dir eine Quiche gebacken!», verkündete sie steif.

«Oh, danke, Tante Flip», antwortete Papa mit leidender Miene. Er hatte in seiner Kindheit viele der schrecklichen Quiches seiner Tante essen müssen und war froh, dass er sie überlebt hatte.

«Setzen wir uns doch alle, ja?», sagte Frank, während der Gefängniswärter herumging und alle Besucher im Auge behielt.

Als Mr. Glubsch außer Hörweite war, flüsterte Frank: «Gleich werde ich die Quiche auf den Boden werfen. Sie wird zerbrechen. Du und Tante Flip verschwindet unter den Tisch, um die Stücke aufzusammeln. Aber dabei tauscht ihr eure Kleider …»

«Unsere was?», antwortete Papa.

«Vertrau mir, Papa. Und dann werden wir beide heute Nacht das gestohlene Geld zurück zur Bank bringen, damit du freigesprochen wirst.»

«Kumpel!», sagte Papa mit leuchtenden Augen. «Du bist ein **Genie**. Du kommst ganz nach deinem Vater!»

«Wenn du ein **Genie** wärst, dann wärst du nicht hier», meinte Tante Flip wenig hilfreich.

Papa funkelte seine Tante an.

«Lass uns nicht streiten, bevor wir überhaupt angefangen haben!», sagte Frank. Er nahm die Quiche. «Ich lasse sie jetzt fallen – drei, zwei, eins…»

PAMM!

Aber sie zerbrach nicht.
Die Quiche prallte ab.
Frank fing sie aus der Luft.

«Was ist denn da drin?», fragte Papa.

«Ich verrate niemandem meine Geheimrezepte», antwortete seine Tante.

«Mach noch mal!», meinte Papa.

Frank warf die Quiche so fest auf den Boden, wie er konnte …

PAMM!

... doch sie sprang wieder hoch und prallte an die Decke.

PLATSCH!

Dort blieb sie kleben.

«Oh nein», sagte Frank.

Die drei starrten hinauf.

«Was machen wir jetzt?», fragte Papa.

«Ich klettere auf deine Schultern», antwortete Frank.

Schnell hob Papa seinen Sohn hoch.

«WAS MACHT IHR DENN DA?», fragte Mr. Glubsch.

«Oh, die Quiche ist mir aus der Hand gerutscht!», log Flip.

«Und ist an der *Decke* festgeklebt?», fragte der Wärter.

«Nun, sie ist mit Pfauengeschmack, also ist sie vielleicht geflogen», meinte sie.

Frank holte die Quiche von der Decke. «Wir haben sie, vielen Dank, Sir!»

«Setzt euch hin, alle drei!», befahl Mr. Glubsch.

Sie taten, was er sagte. Sobald er ihnen den Rücken zudrehte, wurde Frank aktiv.

«Noch ein Versuch!», sagte er.

«Viel Glück», meinte Dad.

Frank knallte die Quiche mit aller Kraft auf den Boden.

BAMM!

Sie zerbrach in hundert Stücke.

«**Upps!** Ich hab die Quiche fallen lassen!», rief Frank so laut, dass alle Besucher es hören konnten.

Die beiden Erwachsenen glitten unter den Tisch.

Jetzt war es so weit!

KAPITEL

49

ZACK!

Gerade als der **unheimliche** Gefängniswärter **Mr. Glubsch** sich schon zu fragen begann, was die beiden da so lange unter dem Tisch machten, rutschte Flip auf Papas Stuhl. Ohne ihre Brille und in Papas Gefängniskleidung sah sie beinahe aus wie Papa, fand Frank.

Als Nächstes glitt Papa auf Flips Stuhl. Frank prustete beinahe los, als er seinen Vater in Flips *wallendem* Kleid sah. Mit der Brille sah sein Gesicht weicher aus, und aus der Ferne

konnte er wirklich als Tante Flip durchgehen.

«Hör auf zu kichern, Kumpel!», zischte Papa. «Du verrätst uns noch.»

«'tschuldigung, Papa.»

«Ich finde, ich sehe ziemlich cool aus», sagte Papa. «Auch wenn ich gar nichts sehe. Meine Güte, sind die Brillengläser dick!»

«Ich kann auch nichts mehr sehen», meinte Flip.

Papa schaute auf seine Füße hinunter. **«Oh, nein!»**

«Was ist, Papa?»

«Du hast etwas vergessen. Mein Holzbein!»

Der Junge schaute unter den Tisch. Papas

hölzerner Fuß und Unterschenkel kamen unter dem Kleid hervor.

«WAS SOLL DAS GANZE GEFLÜSTER?», fragte Mr. Glubsch und schwenkte seinen Knüppel.

«Nichts, Mr. Glubsch»,

antwortete Papa mit etwas zu hoher Stimme.

«Nichts, Mr. Glubsch», antwortete Tante Flip mit etwas zu tiefer Stimme.

Frank starrte auf das Holzbein von seinem Vater.

Der Blick des Wärters aus seinem echten Auge folgte ihm. **«Meine Dame, ich kann mich nicht erinnern, dass Sie vorhin schon ein Holzbein hatten!»**, blaffte er.

Plötzlich schauten alle Leute im Besucherzimmer auf die kleine Gruppe in der Ecke.

«Oh doch, Mr. Glubsch!», antwortete Papa, und seine Stimme kiekste ein bisschen bei seinem Versuch, damenhaft zu sprechen. «Aus Eichenholz!»

«Aber Sie haben auch ein Holzbein», meinte der Wärter und starrte Flip mit seinem gesunden Auge an.

«Ja, das liegt bei uns in der Familie!», antwortete sie.

Frank wurde nervös. «Also, Tante Flip, wir müssen jetzt los», sagte er. Er wollte draußen sein, bevor noch mehr Fragen gestellt wurden.

«Du hast recht», sagte seine richtige Tante und stand auf.

«Ich meine diese Tante Flip hier!», sagte Frank und packte seinen Vater am Arm.

«Ach ja, natürlich!», sagte Flip. «Und ich gehe lieber wieder in meine Gefängniszelle, wo auch immer das ist!»

«MOMENT MAL!», blaffte Mr. Glubsch. «Ich muss prüfen, ob Sie wirklich sind, wer Sie sagen. Stehen Sie still! Mal sehen, ob Sie wirklich ein Holzbein haben. Dann dürfte das hier ja nicht weh tun!»

Tante Flip stand still, während Frank und sein Vater besorgt zusahen. Mr. Glubsch schwang seinen Stock und schlug dann damit fest gegen Tante Flips Bein.

ZACK!

Heroisch presste Flip die Lippen zusammen und gab keinen Ton von sich. Das reichte, um Mr. Glubsch zu überzeugen.

«VERSCHWINDEN SIE!», bellte er.

Tante Flip humpelte davon, was natürlich noch mehr so wirkte, als hätte sie ein Holzbein. Ohne ihre Brille lief sie direkt gegen einen Wärter.

«Oh, wie dumm von mir!», sagte sie.

Frank packte seinen Vater am Arm und zog ihn aus dem Besucherraum. Als sie die Tür erreicht hatten, trat ihnen ein großer Mann in den Weg.

«Ups! Entschuldigung!»», sagte Frank, als er gegen ihn stieß. Er schaute hoch und stellte fest, dass er den Mann nur zu gut kannte.

Es war Däumling.

SIEBEN BRÜDER

Neben Däumling standen noch zwei weitere unheimliche Kerle. Sie hatten zwar die Größe von Kindern, aber gleichzeitig die kalten, harten Gesichter von Erwachsenen.

«Du bist das», knurrte Däumling.

«Ja, ich bin das», antwortete Frank. «Ich würde ja gern noch ein bisschen mit dir plaudern, aber wir müssen los. Komm, Tante Flip.» Er zog seinen Vater am Ärmel des langen *Blumenkleides*.

«Grrrrr!» Die beiden Kleinen knurrten Frank und diese seltsame Frau an und rührten sich nicht.

Papas Brillengläser beschlugen vor Nervosität. Würde Däumling ihn erkennen?

«Wenn Sie uns bitte entschuldigen würden», sagte Frank.

«Will? Bär?», sagte Däumling.

«Ja, Onkel Däumling?», antworteten die beiden im Chor.

«Das ist der Junge, von dem ich euch erzählt habe. Von dem ihr die Rennbahn habt.»

Frank erstarrte. Diese grässlichen Jungs hatten sein **absolutes** Lieblingsspielzeug?

«Na, gut zu wissen, dass sie ein nettes Zuhause gefunden hat», log Frank.

«Nee, wir ham se kaputt gemacht», sagte Will grinsend.

«Und dann aufgegessen»,
fügte Bär hinzu.

«Hoffentlich hat es ge-
schmeckt», antwortete Frank,
allerdings in einem Ton, als wünschte er, sie wäre ihnen **im Hals stecken geblieben**.

Doch jetzt wandte Däumling sich an die unge-
wöhnliche Frau, die sich hinter Frank versteckte. **«Wer sind Sie?»**, blaffte er.

«Oh, das ist die Tante meines Vaters!», sprang Frank ein. «Tante Flip. Sie haben sie im Gericht gesehen, bei der Verhandlung.»

Der Riese betrachtete die ‹Dame›. «Sie sehen anders aus.»

«Es ist schon ein paar Wochen her. Ich bin et-
was älter geworden», flötete Papa mit seiner besten Tante-Flip-Stimme.

«Ihr müsst demnächst alle mal zum Spielen kommen», sagte Frank. «Und vielen Dank, Herr

Däumling, dass Sie mir diesmal keine Daumen in die Ohren gedrückt haben. Komm jetzt, Tante Flip, wir müssen **sofort** los.»

Und die beiden schoben sich an den anderen vorbei.

«Irgendwas stimmt nicht mit dieser Frau», knurrte Däumling.

«Die ist fast so hässlich wie unsere Mum», meinte Will.

«So hässlich ist keiner», sagte Bär.

Frank und sein Vater schauten nicht zurück, sondern eilten, so schnell sie konnten, den Flur hinab. Papas Holzbein machte ihn langsam.

«Letztes Mal haben Sie nicht gehumpelt!», rief Däumling.

«LAUF!», zischte Frank.

Sobald sie um eine Kurve kamen, fragte er: «Papa, meinst du, Däumling hat dich erkannt?»

«Keine Ahnung. Er ist dumm wie Brot, aber seine sechs Brüder sitzen hier alle im Gefängnis, also hat er überall Augen und Ohren. Tante Flip muss wirklich aufpassen.»

Däumlings Brüder waren:

Spinne: Trägt ein tätowiertes Spinnennetz im Gesicht. Fand er offenbar irgendwann mal gut.

Gorilla: Badet niemals und stinkt wie ein Affe. So schlimm, dass ein ausgewachsener Mann in hundert Metern Entfernung davon umkippen kann.

Abrazo heißt so, weil seine gesamte Haut mit dichten, drahtigen Haaren überzogen ist, mit der er seine Opfer wie ein riesiger Topfschwamm wund rubbelt. Abrazo ist der Vater von Will und Bär.

Sofa hat einen riesigen Hintern, der so breit und weich ist wie ein Sofa. Wo er sich draufsetzt, wächst kein Gras mehr.

Knöchel trägt riesige Ringe an jedem Finger, was noch mehr weh tut, wenn er zuschlägt.

Warze hat Hunderte von Warzen im Gesicht. Er ist der Schönling in der Familie.

Endlich hatten Frank und sein Vater die riesigen Gefängnistore hinter sich gelassen.

«Geschafft!», rief Papa.

«Ja», antwortete Frank. «Aber wir haben keine Zeit zu verlieren.»

Die Flucht aus dem Gefängnis war der einfache Teil gewesen. Nun aber lag eine wirklich schwierige Aufgabe vor ihnen.

KAPITEL 51

EIN AUTOFRIEDHOF

Frank und Papa setzten sich ganz hinten in den Bus. Sobald Frank sicher war, dass niemand ihnen zuhörte, erzählte er seinem Vater von seinem Plan. Es war ganz schön gewagt, eine **halbe Million Pfund** von Mr. Big zurückzustehlen und sie wieder zur Bank zu bringen. Als Frank fertig war, strahlte Papa.

«Das ist **brillant**, Kumpel!»

«Danke, Papa», sagte Frank stolz.

«Es gibt nur ein Problem.»

«Was?»

«Wir brauchen ein Auto, um deinen Plan umzusetzen.»

«QUEENIE?»

«Wir brauchen sie mehr denn je.»

«Ob sie immer noch auf der Weide steht, wo wir sie zurücklassen mussten?»

«Nein. Die Polizei hat sie bestimmt abgeschleppt.»

«Aber wo ist sie dann?»

«Die haben das alte Mädchen bestimmt an den Schrotthändler verkauft.»

«Schrotthändler?!»

«Ich weiß, aber es steckt noch Leben in ihr. Ich hoffe bloß, wir kommen noch rechtzeitig.»

«Ich auch.»

«Sobald wir zu Hause sind und ich mir dieses Kleid ausgezogen habe …»

«Eigentlich steht es dir ganz gut, Papa», witzelte Frank.

«Sehr lustig, Kumpel. Komm, hier müssen wir aussteigen.»

Beim Schrotthändler sah es aus wie auf einem Autofriedhof. Mit den meisten Fahrzeugen war wirklich nichts mehr anzufangen – sie hatten zerquetschte Motorhauben, fehlende Reifen und verrostete Karosserien.

Ein RIESIGER KRAN packte die Autos mit seiner großen Kralle, hob sie durch die Luft und ließ sie dann in eine Schrottpresse fallen. Da drin wurde jedes Auto zur Größe einer Mikrowelle zerquetscht, ganz egal, wie groß es war.

Es würde schwierig werden, *QUEENIE* zwischen den vielen Autowracks zu finden, aber sie brauchten sie. Der Mini war schon so lange ein Teil ihres Lebens, dass er fast als Familienmitglied zählte. Während sie über den Schrottplatz gingen, rief Frank nach ihr.

«QUEENIE?»

«Ha! Ha! Sie ist zwar kein Hund, aber vielleicht klappt es trotzdem!», sagte Dad und rief mit: *«QUEENIE?»*

«QUEENIE?»

«QUEENIE?»

«QUEENIE?»

Unter den Wracks waren auch viele Polizeiautos. Bestimmt waren sie bei ihrer Flucht kaputtgegangen, dachte Frank. Er war so von ihrem Anblick abgelenkt, dass er nicht merkte, wie etwas Merkwürdiges mit dem Kran passierte. Er kam langsam immer näher auf sie zu, bis schließlich ein großer alter Bentley direkt über ihrem Kopf baumelte. Er musste eine Tonne wiegen. Ein Schatten fiel über sie. Frank merkte, dass es plötzlich **kälter** und **dunkler** wurde.

«Papa?»

«Ja, Kumpel?»

«Schau mal hoch.»

In diesem Moment öffnete der Kran seine Kralle, und der große Bentley fiel herab.

«VORSICHT!», schrie Papa und stieß seinen Sohn weg.

BAM!

Der Bentley krachte auf den Boden und begrub Papas Bein unter sich. Bemerkenswerterweise gab der dabei keinen Laut von sich.

«*Papa!* Wieso schreist du nicht?»

«Das ist mein Holzbein! Das tut nie weh.»

«Ich muss dich da rausziehen.»

Mit aller Kraft zog Frank seinen Vater unter dem Auto hervor.

«Ist das Bein noch heil?», fragte Frank.

Dad betrachtete es. «Nur ein paar Splitter. Ich kann mir ja ein neues holen!»

Frank spürte einen Luftzug. Er schaute hoch – die Kralle vom Kran kam jetzt direkt auf sie zu.

«PAPA!»

Die beiden rollten sich weg, und die Kralle bohrte sich in den Boden.

BUM!

«Wer steuert denn dieses Ding?», fragte Frank.

Dad erhaschte einen Blick auf den Mann im Führerhäuschen. Das teuflische Grinsen hätte er überall wiedererkannt. Es war Finger.

«Däumling muss uns erkannt haben und hat es Finger gesagt», sagte Papa. «Sie wollen uns schnappen!»

«Lass uns abhauen!», rief Frank.

«Aber erst müssen wir **QUEENIE** finden.»

Die beiden rappelten sich auf und rannten um die Ecke, während die Klaue des Krans hinter ihnen herschwang.

«Da ist sie!», rief Frank. Er hatte Queenies Motorhaube in einer langen Reihe von Autowracks entdeckt. **QUEENIE** sah nicht gut aus, nachdem sie gegen einen Baum gefahren und ihre gelbe Farbe vom Regen halb abgewaschen worden war. Die Windschutzscheibe war zerbrochen, ebenso die

Scheinwerfer, und das Dach war zerbeult. Frank und sein Vater liefen zu ihr hin.

«Schön, wieder zu Hause zu sein», sagte Papa, als er auf seinen Sitz rutschte und den Schlüssel drehte, der noch im Schloss steckte.

Wroamm!

Der Motor heulte auf wie in alten Zeiten.

«Auf geht's!», sagte Papa, und das Auto schoss über den Schrottplatz.

BAM!

Frank sah nach oben. Die Klaue des Krans hatte sich um das Autodach gehakt. Mit Leichtigkeit wurde der Mini in die Höhe gehoben.

«NEEEIIIN!», schrie Frank, als das Auto wie ein Ball durch die Luft schwang.

Wusch!

Kurz darauf baumelten Frank und Papa über der Schrottpresse. Ihr schreckliches metallisches Maul stand weit offen. Sie konnten Finger im Führerhäuschen des Krans sehen – er lachte wie eine Hyäne.

«Schwing nach vorne, Sohn!», brüllte Papa.
Und als sich die Klaue öffnete, um den Wagen
fallen zu lassen, warfen sich die beiden mit ihrem
ganzen Gewicht nach vorn.

«HALT DICH FEST!», rief Papa.

Wusch!

Das Auto sauste nach unten.

«AAAAHHH!», schrie Frank.

KAPITEL

AUF DER KIPPE!

QUEENIE landete auf dem Rand der Schrottpresse.

KLONGK!

Dort wackelte sie hin und her, und Frank und sein Vater hingen zwischen Leben und Tod.

«Noch mal!», rief Papa. Sie warfen sich wieder nach vorn, und das Auto rutschte vom Rand der Presse und fiel auf den Boden.

BAM!

Papa drückte aufs Gaspedal, doch kaum war **QUEENIE** losgesaust, grub sich die Klaue des Krans in das, was vom zerstörten Autodach noch übrig war.

«HALT DICH FEST!», rief Papa. Dann riss er an der Handbremse und ließ das Auto *herum-wirbeln*.

Die Klaue riss das Dach ab, als wäre es eine Dose Thunfisch.

«Ich wollte schon immer Cabrio fahren!», sagte Papa. Mit diesen Worten brach er einfach durch einen Zaun ...

ZACK!

... und raste vom Schrottplatz.

WROAMM!

Doch der Kran nahm auf seinen sirrenden Panzerketten die Verfolgung auf.

Ein Schild kam in Sicht, auf dem «NIEDRIGE DURCHFAHRT» stand. Vater und Sohn grinsten sich an, dann schoss Queenie unter der Brücke hindurch. Frank kletterte auf seinen Sitz und schaute zurück. Der Kran war viel zu groß. Er krachte direkt gegen die Brücke.

DOING!

Ziegelsteine flogen in alle Richtungen.

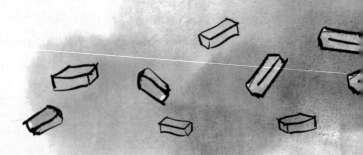

KNALL!

NIEDRIGE DURCHFAHRT

Wie ein humpelnder *Tyrannosaurus Rex*
kam der Kran zum Stehen.

RUMS!

Frank sah, wie Finger aus dem Führerhäuschen sprang. Er trat mit dem Fuß gegen den Kran und hüpfte dann vor Schmerz auf einem Bein.

«Nächster Halt, Mr. Bigs Haus!», rief Frank über das Dröhnen von Queenies Motor.

WROAMM!

KAPITEL 53

FINSTERE NACHT

Die beiden Zurück-Räuber versteckten **QUEENIE** in einer Hecke. Den letzten Teil des Weges zu Mr. Bigs Landhaus legten sie zu Fuß zurück. Es war spät, und alles, was sie hörten, waren ihre eigenen Schritte auf dem nassen Weg.

Frank fürchtete sich, doch wollte es nicht zugeben.

«Nimm mal meine Hand, Papa. Ich will nicht, dass du hinfällst», schwindelte er.

«Danke, Kumpel», antwortete Papa. Er sah ebenfalls ängstlich aus.

Mr. Bigs Haus war von einer hohen Steinmauer umgeben.

«Kann ich bitte mal dein Holzbein borgen?», fragte Frank.

«Aber ich brauche es zurück.»

«Ja, ja, natürlich, Papa!»

Sobald Papa sein Holzbein abgeschnallt hatte, drehte Frank es um und benutzte den Fuß wie einen Haken, mit dem er sich an der Mauer hoch-

zog. Als er oben auf der Mauer war, hielt er seinem Vater das Bein hin, um ihn damit raufzuziehen. Dann sprangen beide in den großen Garten hinab. Aus sicherer Entfernung betrachtete Frank das Haus.

«Wenn ich mich recht erinnere, ist Bigs Arbeitszimmer das Zimmer mit dem großen Fenster da. Folg mir», sagte er zuversichtlich.

«Nur eins noch, Kumpel.»

«Ja, Papa?»

«Kann ich bitte mein Bein wiederhaben?»

«Upps!», sagte Frank.

Sobald Papa es wieder angeschnallt hatte, machten sie sich auf den Weg.

Wie zu erwarten, waren alle Fenster und Türen zum Haus verriegelt. Mr. Big war dadurch reich geworden, dass er von anderen stahl, doch keiner sollte ihm etwas stehlen dürfen.

«Verschlossen, verschlossen, verschlossen!», schimpfte Papa.

«Vielleicht kann ich noch mal dein Bein ausleihen?»

«Wofür denn diesmal?»

«Um ein Fenster einzuschlagen?», schlug Frank vor.

«Davon wachen doch alle auf, Kumpel.»

Frank dachte kurz nach. «Papa, Big hat doch diese riesigen Katzen, weißt du noch?»

«Ja! Diese grässlichen Monster namens Ronnie und Reggie. Warum?»

«Dann muss es doch auch eine Katzenklappe geben! Vielleicht passe ich ja da durch.»

«Einen Versuch ist es wert.»

Auf der Rückseite des Hauses fand Frank die Klappe unten an der Küchentür.

«Ich weiß nicht recht, Kumpel», sagte Papa. «Alle Fenster sind verriegelt. Ich komme nirgendwo rein. Du wärst ganz allein in Bigs Haus. Das ist gefährlich.»

«Ich habe keine Angst», log Frank. «Und von hier draußen kannst du sehen, ob im Haus Lichter angehen, und mich warnen.»

«Na gut, aber wie willst du den Safe öffnen?»

«Ich habe mir die Melodie gemerkt, die zu hören war, als der Butler den Code eingegeben hat.

BIEP! BOOP! BLIEP! BLOOP!»

«Du hast wirklich an alles gedacht. Na gut, dann rein mit dir. Aber, Kumpel …»

«Ja, Papa?»

«Sei vorsichtig.»

Frank nickte und ging dann auf alle viere. Die Klappenöffnung war eng, doch er passte gerade hindurch.

KLIPP!

KLAPP!

Drinnen ergriff Frank eine große, dunkle Furcht. Er war ganz allein im finsteren Haus eines schlimmen Kriminellen und wollte ihm eine **halbe Million Pfund** stehlen. Gefährlicher ging es kaum.

Als er über den Küchenboden krabbelte, hörte er ein Schnarchen.

«ZZZzz! ZZZzz!»

Er schaute zum Körbchen in der Ecke.

Ronnie und Reggie lagen zusammengerollt darin und schliefen. Frank kroch an ihnen vorbei in den Flur. Der war länger als ein Fußballfeld, und rechts und links davon gingen viele Türen ab. Hinter welcher lag das Arbeitszimmer? Frank wurde plötzlich übel, als er merkte, dass er keine Ahnung hatte.

Er drückte ein paar Klinken und stellte fest, dass alle verschlossen waren. Bis auf eine. Frank öffnete sie so leise und langsam, wie er konnte. Im Zimmer war es dunkel, bis auf ein kleines rotes Licht. In Franks Augen und hinten in seinem Hals fing es an zu brennen. Das rote Licht glomm auf. Es war das Ende einer Zigarre.

Eine Tischlampe ging an und **leuchtete** Frank direkt in die Augen.

Während er noch blinzelte, hörte er eine Stimme:

«**Na, wenn das nicht unser kleiner Dieb ist. Ich habe dich schon erwartet.**»

Es war Mr. Big.

KAPITEL

54

LÜGNER

Ich bin beeindruckt, kleiner Frank», sagte der VERBRECHERKÖNIG. «Mitten in der Nacht in mein Haus einzubrechen … du bist ein Junge nach meinem Geschmack. Du solltest hier einziehen und bei mir und deiner Mutter wohnen. Ich könnte der Vater sein, den du nie hattest. Ich könnte dir alles beibringen, was ich weiß. Du könntest VERBRECHERKÖNIG werden, so wie ich. Und eines Tages könnte all das hier dir gehören.»

«Ich will es aber nicht», fauchte Frank. «Ich will gar nichts von Ihnen haben.»

«Natürlich willst du das», kicherte Mr. Big. «Davon träumt doch jeder. Stell dir mal vor, dein

eigener Swimmingpool, Diener … Du darfst sogar meine Rennautos auf dem Grundstück fahren.
Komm», sagte Mr. Big und streckte die Hand
aus.

«NEIN! NIEMALS!»

«Niemand sagt niemals zu Mr. Big.»

«Alles, was Sie haben, haben Sie anderen weg-
genommen. Wissen Sie, was? **Sie sind nicht halb
so ein Mann wie mein Papa!**»

«Ach ja?» Mr. Big beugte sich vor. «Apropos,
wo ist denn dieser lächerliche Wicht von einem
Mensch?»

Frank konnte den Umriss seines Vaters am Fenster direkt hinter Mr. Big erkennen. Er wagte nicht,
den Blick zu heben, um ihn nicht zu verraten.

«Natürlich im Gefängnis. Er weiß nicht, dass ich
hier bin.»

Mr. Big lachte vor sich hin. **«Ha! Ha!** Ein
Lügner und ein Dieb.»

«Ich bin kein Lügner!»

Mr. Big erhob sich – auch wenn er dadurch nicht
besonders viel größer wurde. Dann leuchtete er
Frank mit der Lampe direkt ins Gesicht.

«Däumling nimmt seine Neffen immer mit in den Knast, wenn er seine Brüder besucht, und er hat mir erzählt, dass irgendwas bei euch faul war. Finger hat draußen im Auto gewartet und ist euch auf den Schrottplatz gefolgt. Da habt ihr euer schäbiges kleines Auto abgeholt. Wieso? Was ist euer Plan, mein Sohn?»

«Ich bin nicht Ihr Sohn!»

«Erzähl's mir», schnurrte Big.

«NEIN!», schrie Frank.

Mr. Big lächelte. Dem bösen kleinen Mann gefiel es offenbar, Frank zu ärgern. «Komm schon. Papi muss wissen, was sein kleiner Dieb jetzt vorhat.»

«SIE WERDEN NIE MEIN PAPA

SEIN! UND ICH BIN KEIN DIEB!», schrie Frank, und seine Augen brannten vor Tränen. «Und wenn Sie es genau wissen wollen, ich werde das Geld stehlen und es zurück in die Bank bringen.»

Mr. Big brüllte vor Lachen. **«Ha! Ha! Ha!** Da haben wir es ja!»

«Mist!», sagte Frank. Er hatte seinen Masterplan verraten.

«In all meinen Jahren habe ich noch nie so was Dämliches gehört! Ich glaube, du bist nicht ganz frisch im Kopf!», sagte der Mann und rubbelte Frank über die Haare. «Aber du arbeitest nicht allein, stimmt's? Zum letzten Mal, wo ist dein einbeiniger Vater?»

Mr. Big nahm einen tiefen Zug aus seiner Zigarre und blies Frank den dicken schwarzen Rauch direkt ins Gesicht. Frank hustete und spuckte. Aus dem Augenwinkel konnte er sehen, dass Papa sich das Holzbein abschnallte.

«Ich hab es Ihnen doch gesagt, ich weiß es nicht», antwortete Frank.

Mr. Big schüttelte langsam den Kopf. Er nahm

die Zigarre aus dem Mund und hielt Frank die heiß glühende Spitze vor die Nase. «Ich war nett zu dir. Aber jetzt muss ich andere Saiten aufziehen.»

Langsam kam die Zigarre näher und näher. Frank konnte nicht anders, sein Blick huschte zu Papa. Mr. Big drehte sich um und sah Papa vor dem Fenster herumhüpfen. Über den Kopf hielt er sein Holzbein.

«Was zum …?», rief Mr. Big.

KAPITEL 55

FALTEN-POPO

Bevor Mr. Big ein weiteres Wort sagen konnte, krachte Papas falsches Bein schon durch das Fenster ...

KRACH!

... und der Holzfuß knallte Mr. Big gegen den Kopf.

KNALL!

Der Verbrecher fiel bewusstlos zu Boden.

DOING!

«Das hat sicher jemand gehört», meinte Papa und hüpfte durch den Fensterrahmen.

«Danke, dass du meine Haut gerettet hast, Papa», sagte Frank.

«Es war mir ein Vergnügen! Ich wollte diesem miesen Kerl schon lange mal eins überziehen.» Papa schaute auf den kleinen Mann herab, der auf dem Seidenteppich lag. «Aber jetzt komm, Kumpel, wir haben nicht viel Zeit.»

«Ich mache, so schnell ich kann.» Frank eilte hinüber zu dem Ölbild von Mr. Big, das an der Wand hing. Er schob es zur Seite, und darunter kam das Tastenfeld des Safes zum Vorschein.

«BIEP! BOOP! BLIEP! BLOOP!», sagte er vor sich hin, während er an den Klang der Tasten dachte, die er beim letzten Mal gehört hatte. Er drückte auf die Zahlen, als wären es Klaviertasten, und versuchte, die richtigen Töne herauszuhören.

BIEP! BOOP!

Dann musste er sich merken, welche Zahl welchen Ton machte.

BLOOP! BOOP!

In diesem Moment öffnete sich die Tür zum Arbeitszimmer mit einem Knarren. Chang kam herein, nur bekleidet mit einer knappen schwarzen Unterhose. Der alte Butler umkreiste Papa und Frank mit ausgestreckten Armen und sprach dabei irgendetwas in Mandarin, so als wollte er gleich Kung-Fu machen. Er wich ein paar Schritte zurück, dann **sprang er mit ausgestreckten Armen und Beinen durch die Luft**.

Frank duckte sich. Papa dagegen öffnete hilfsbereit ein Fenster, und Chang segelte direkt hindurch ...

WUSCH!

... und landete draußen auf der Terrasse.

PAM!

Frank und Papa spähten hinaus und sahen den Butler mit dem Gesicht auf dem Boden liegen.

«Er ist bewusstlos», meinte Papa.

Die knappe Unterhose war aufgeplatzt, und Changs alter, faltiger Popo kam zum Vorschein.

«Er sollte sich einen ordentlichen Schlafanzug kaufen», murmelte Frank, bevor er sich wieder dem Safe zuwandte.

BIEP! BOOP! BLIEP! BLOOP!

KLICK!

Er hatte den Code geknackt! Der Safe öffnete sich.

«**JA!**», rief Frank.

Vater und Sohn starrten hinein. Eine Zeitlang sprach keiner ein Wort. In dem kleinen Metallschrank lag mehr Geld, als sie sich je hätten erträumen können. **Es war viel zu viel, um es zu zählen, aber es mussten Millionen von Pfund sein, vielleicht sogar Hunderte von Millionen.**

«Vielleicht sollten wir einfach alles nehmen», meinte Papa. «Wir könnten damit abhauen, uns eine große Yacht kaufen und für immer um die Welt segeln.»

Der Gedanke war verführerisch. Das Geld sah aus wie die Lösung für all ihre Schwierigkeiten.

«Ich weiß nicht, Papa», antwortete Frank. «Wenn wir alles nehmen, dann sind wir genauso schlimm wie Mr. Big. Lass uns lieber nur das nehmen, was aus der Bank gestohlen wurde, und keinen Penny mehr.»

Er begann, die Notenbündel zu zählen und sie in die Mülltüte zu legen, die sie mitgebracht hatten.

Papa schüttelte ungläubig den Kopf. «Können wir nicht ein kleines bisschen für uns abzwacken?», bettelte er.

«Was für eine Sorte Papa willst du sein – ein **gu-ter** oder ein **schlechter Papa?**»

Papa dachte eine Weile nach. «Gibt es noch irgendwas in der Mitte?», fragte er.

«NEIN!»
«Dann ein guter Papa!»

«Ich wusste es», sagte Frank.

«Schau doch mal nach, ob die Luft rein ist.»

Frank schob den Kopf aus dem Fenster.

«Papa?»

«Was?», antwortete er.

«Sieh dir das mal an.»

Papa trat zu Frank ans Fenster. Draußen auf der Terrasse stand eine Person. Es war Mum. Und sie hielt eine Waffe.

KAPITEL 56

GROSSER FEHLER

Tu jetzt nichts Unüberlegtes, Rita!», bat Papa.

Mum hielt eine Pistole in der Hand und zielte damit auf ihn.

«Ich dachte, du würdest im **Gefängnis** vermodern», schnurrte sie.

«Das stimmt», antwortete Papa. «Aber heute Nacht bin ich mal ausgegangen.»

Mum trat näher an das zerbrochene Fenster und spähte hinein.

«Was habt ihr mit meinem Biggie gemacht?», wollte sie wissen, als sie ihren Freund auf dem Teppich liegen sah.

«Ich habe ihm eins mit dem Holzbein übergezogen», antwortete Papa.

«Ich wette, das hast du genossen, Gilbert», fauchte sie.

«Weißt du, was, Rita? Das habe ich.»

«Ich kann nicht fassen, dass ich mal in dich verliebt war», sagte sie.

«Ich kann nicht fassen, dass ich mal in dich verliebt war», gab Papa zurück. «Aber damals warst du anders, Rita. Bevor Mr. Big kam und dir den Kopf mit seinem *Reichtum* verdreht hat.»

«Biggie weiß eben, wie man eine Dame behandelt.»

«Liebe lässt sich nicht in *Gold* und DIAMANTEN messen. Der Mann da auf dem Boden liebt dich nicht. Du bist bloß eins von seinen Besitztümern.»

Mum hob die Pistole und spannte den Hahn.

KLICK!

«Ich hab die Nase voll von deinem Gerede, Gilbert. **VERSCHWINDE AUS MEINEM HAUS. ABER DER JUNGE BLEIBT HIER BEI MIR.**»

Frank spürte Panik in sich aufsteigen. Ganz bestimmt wollte er nicht mit seiner Mum und ihrem Freund in diesem riesigen Haus wohnen.

«Ich weiß, du bist sauer, weil ich dich verlassen habe, Frank», sagte Mum. «Aber ich möchte dich wieder bei mir haben.»

Papa schaute seinen Sohn an. «Was möchtest **du** denn, Frank?»

«Ich wette, du möchtest hier mit mir und Biggie in diesem großen Haus voller Luxus leben, **stimmt's?**»

«NEIN», antwortete Frank sofort.

Seine Mutter sackte in sich zusammen. «Was meinst du mit ‹nein›?»

«Tut mir leid, Mama, aber ich will nicht mit dir hier leben. **Niemals.** Ich will nur mit meinem Papa zusammen sein.»

«Obwohl er gar kein Geld hat? Noch *weniger* als nichts?», fragte sie.

«Papa hat alles, was ich brauche, und mehr», antwortete Frank. «Und er muss niemandem mit einer Pistole drohen, damit ich ihn lieb hab.»

Mums Gesicht wurde auf einmal ganz traurig,

und dann brach sie in Tränen aus. Zitternd ließ sie die Pistole sinken.

«Es tut mir so sehr leid, Frank. Ich habe einen großen Fehler gemacht, dich einfach so zu verlassen, aber damit muss ich leben. Ich weiß, ich habe dich im Stich gelassen. Ich wette, du hasst mich dafür.»

Frank kletterte durch das zerbrochene Fenster hinaus auf die Terrasse. Dann legte er die Arme um seine Mutter. «Ich hasse dich nicht, Mama. **Ich hab dich lieb.**»

Diese Worte brachten sie nur noch mehr zum Weinen.

«Bitte verzeih mir, Frank», sagte sie durch die Tränen hindurch. «Ich hätte dir eine Mutter

sein müssen. Aber ich war verblendet. Jetzt merke ich, wie dumm ich gewesen bin. **Ich hab dich auch lieb.»**

«Ich verzeihe dir, Mama.»

Mum hielt ihren Sohn ganz fest. Papa kletterte ebenfalls nach draußen und stellte sich neben sie. Nach einer Weile machte Frank sich aus den Armen seiner Mutter los.

«Es tut mir leid, aber ich und Papa müssen jetzt los», sagte Frank.

Mum wischte sich die Tränen ab. «Wo wollt ihr denn jetzt mitten in der Nacht hin?»

«Wir müssen einen Fehler wiedergutmachen, Mama. **EINEN GROSSEN FEHLER.»**

Mum nickte. **«Einen Fehler sollte man immer wiedergutmachen.»**

WILDE BESTIEN

Frank nahm seine Mutter am Arm. «Es ist kalt, Mama. Ich bringe dich wieder ins Haus.»

Gilbert war sehr stolz auf seinen Sohn, weil Frank trotz allem so nett zu seiner Mutter war.

Frank schaute seiner Mutter durch das kaputte Fenster nach. Dort stand sie nun allein und im Nachthemd im Arbeitszimmer, und die Tränen liefen ihr das Gesicht herab, bis ihre Wimperntusche ganz verschmiert war.

Dann nahm Frank seinen Vater an der Hand, und beide gingen über die Terrasse in den Garten.

«Wir müssen sie später da rausholen», meinte Frank.

«Wir schauen mal», sagte Papa.

Als die beiden die Steinmauer erreichten, die
Mr. Bigs Haus umgab, sprangen **zwei wilde Bestien**
von einem Baum herab und landeten direkt auf
ihren Köpfen.

«AAAAHH!», schrien sie.

Es waren Ronnie und Reggie, die schlimmsten
und größten Katzen der Welt.

«Runter mit dir!», schrie Papa, als Ronnie ihm
die KRALLEN in die Stirn bohrte.

«Hilfe!», schrie Frank, als Reggie ihm einen
Pfotenschlag auf die Nase verpasste.

«Ich werde sie nicht los!», schrie Frank.

«Ich auch nicht!», rief Papa und versuchte verzweifelt, die Katze von sich runterzuziehen. Doch die Krallen des Tieres hatten sich richtig verhakt. «Aber ich weiß etwas, das Katzen richtig hassen.»

«Was denn?», fragte Frank, während Reggie ihn weiter boxte.

«WASSER!»

«Der Brunnen!», schrie Frank,
und schon rannten die
beiden hin.

«Oh nein!», rief Frank im Laufen. «Sein Hintern ist in meinem Gesicht!»

«Lauf einfach weiter!», rief Papa, obwohl Ronnie ihn gerade ins Ohr biss. **«AUTSCH!»**

Hand in Hand sprangen Vater und Sohn in den Brunnen.

Doch anstatt sich vor Wasser zu fürchten, stellten die beiden Katzen sich als exzellente Schwimmer heraus. Sie tauchten und verfolgten Vater und Sohn wie Haifische durch das Wasser.

«Raus hier!», schrie Papa.

Die zwei kletterten aus dem Becken, doch Ronnie und Reggie verfolgten sie. Vor lauter Panik rutschte Frank aus und fiel auf sein Gesicht. Gilbert kniete sich hin, um ihm aufzuhelfen.

«MIAU!», brüllten die Katzen, sprangen durch die Luft und landeten wieder auf ihrem Rücken.

Ihre Krallen bohrten sich tiefer und tiefer in ihr Fleisch.

«AAAHH!», schrie Frank.

«Wir sind geliefert!», meinte Papa.

Doch dann: **«FAUCH!»**, fauchten die Katzen und wurden in die Luft gehoben.

Frank schaute auf. Seine Mutter hatte beide Tiere an den Schwänzen gepackt.

«MAMA!», rief Frank.

«Ich habe diese Katzen immer gehasst!», sagte sie. Dann wirbelte sie im Kreis herum wie eine Diskuswerferin, einen Katzenschwanz in jeder Hand.

«FAUCH!», fauchten die Katzen. Dieses Herumgeschleudere gefiel ihnen gar nicht.

Als Mum sich so schnell drehte, dass man Ronnie

und Reggie nur noch als Schemen erkennen konnte, ließ sie los.

«MIIIIAAAAAAAUUUUU!»,
schrien die Katzen, während sie durch die Luft se-
gelten. Nach einer Weile landeten sie mit einem
lauten Krachen in der Ecke des Gartens.

PAM!
PAM!

«Danke, Rita», sagte Papa.

«Keine Ursache», meinte sie. «Nun geht, bevor
Big zu sich kommt.»

«Danke, Mama», sagte Frank.

«Ich bin froh, dass ich euch helfen konnte, und
wenn es nur ein bisschen war», antwortete Mum.
«Seid vorsichtig.»

«Sind wir», schwindelte Frank.

«RITA!», ertönte eine Stimme aus dem Haus.
«GEHT! GEHT! GEHT!», drängte sie.

Und in der nächsten Sekunde waren sie verschwunden.

58

ZWEI FLIEGEN
MIT EINER KLAPPE

Auf der anderen Seite der Mauer liefen Papa und Frank zu *QUEENIE*, warfen das Geld auf den Rücksitz und rasten in Richtung Bank. Es war mittlerweile schon weit nach Mitternacht, und niemand war unterwegs. Papa parkte das Auto in einer Seitenstraße gegenüber der Bank und schaltete die Scheinwerfer aus.

Seit dem Bankraub waren ein paar Monate vergangen. Mittlerweile war die Bank repariert worden.

«Wie sollen wir da reinkommen?», wollte Papa wissen.

«Ich denke, wir sollten sie nicht noch mal in die Luft sprengen», meinte Frank. «Es wäre irgendwie dumm, einen Schaden von **einer Million Pfund** anzurichten, um **eine halbe Million Pfund** in den Safe zu legen.»

«Ja», murmelte Papa. «Auch wenn es lustig wäre.»

«Ich habe mir Folgendes überlegt, Papa. Wir warten, bis morgens der erste Angestellte kommt, und dann schleichen wir uns mit rein.»

«Aber das kann noch Stunden dauern.»

«Nein. Einen Morgen bin ich mal richtig früh aufgestanden und habe mich aus Tante Flips Haus geschlichen, um die Bank zu beobachten. Der Bankdirektor kommt schon bei Tagesanbruch.»

«Gut gemacht. Dann bleiben wir im Auto sitzen, bis sie aufmachen.»

In diesem Moment ratterte der Kran vom Schrottplatz um die Ecke. Wieder saß Finger im Führerhäuschen. Der Kran hielt direkt vor der Bank, und Finger sprang heraus. Hinter dem Kran befand sich einer von Mr. Bigs Rolls-Royces. Däumling stieg aus dem schicken Auto und öffnete seinem Boss die Tür. Mr. Big kühlte sich den Kopf mit einer Packung Eis.

«Diese zwei Ratten sind hier irgendwo! Ich weiß

es», sagte er zu seinen Helfern. «Sie wollen mein hart gestohlenes Geld wieder in die Bank bringen.»

«Ekelhaft!», meinte Däumling.

«Das ist einfach nicht in Ordnung», fügte Finger hinzu.

«Wir sollten das Auto verlassen, bevor sie uns sehen», flüsterte Papa.

Die beiden rutschten von ihren Sitzen, krochen nach draußen und krabbelten auf allen vieren die Straße entlang, wobei sie den Sack mit dem Geld mit sich zogen. Hinter einem Briefkasten versteckten sie sich.

«Schauen Sie mal, Boss! Da steht ein Mini, genau wie der von denen», meinte Däumling.

«Das *ist* ihr Mini», sagte Finger.

«Sehr gut, Däumling. Dafür bekommst du ein Sternchen.»

Mr. Big überquerte die Straße. Sein seidener Morgenmantel blähte sich im Wind. Er spähte durch das große Loch ins Auto.

«Sie sind nicht im Wagen! Ich hatte also recht. Sie müssen schon in der Bank sein», sagte er. Mr. Big lief zurück und rüttelte an den Türen der Bank.

«Wie clever – sie müssen sich dadrinnen verbarrikadiert haben. Finger! STRENG DICH AN!»

«Sofort, Boss», antwortete Finger grinsend. «Ein kleiner Zerstörungsauftrag.»

«Ja, damit schlagen wir zwei Fliegen mit einer Klappe.»

«Ich glaube nicht, dass ich eine Klappe dabeihabe, Boss», meinte Däumling.

«Oh, halt den Mund, sonst befehle ich dir noch, dich selbst k. o. zu schlagen!»

Finger fuhr den Kran auf den Mini zu. Sein Metallarm schwang durch die Luft, und die Kralle hob QUEENIE hoch.

KLONK!

Dann schwang der Arm mit Queenie zur Bank hinüber. Frank klammerte sich an den Arm seines Vaters. Der Mann schloss die Augen. Er konnte nicht hinsehen.

KRACH!

QUEENIE flog scheppernd durch die Türen der Bank.

KNALL!

Die Türen und Fenster zersplitterten.

KLIRR!

Und dann ging die Sirene an.

HEUL!

Der Kran schwenkte wieder zurück. **QUEENIE** war nur noch ein Schrotthaufen. Der ganze Vorderteil des Wagens war kaputt. Die Stoßstange war abgefallen, die Motorhaube war eingedrückt, und die Vorderreifen baumelten nur noch herab.

«Nein!», flüsterte Papa. Der arme Mann hatte Tränen in den Augen.

«Es tut mir so leid, Papa», flüsterte der Junge.

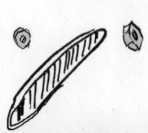

Er legte den Arm um seinen Vater. «Ich weiß, wie sehr du sie geliebt hast.»

«Leben Sie wohl, Eure Majestät», sagte Papa.

«MACH SIE ALLE!», befahl Mr. Big.

«Ja, Sir», antwortete Finger. Er zog einen Hebel im Kran und hob das Auto so hoch wie nur möglich.

SIRR!

Einen Moment lang schwang der Wagen im Wind. Dann öffnete sich die Kralle, und der Mini fiel herab.

SAUS!

Dann krachte er auf die Straße.

BUM!

Der Kran fuhr vor und walzte den Rest des Autos unter seiner Panzerkette platt.

SIRR!
KNIRSCH!

Seit Frank denken konnte, war *QUEENIE* wie ein Familienmitglied gewesen. Nun war sie nur noch ein platter Schrotthaufen.

«Das Fluchtauto ist platt, Boss», meinte Finger mit fiesem Grinsen.

«Gute Arbeit, Finger. Und jetzt will ich mein Geld zurück. Gehen wir rein und halten diese beiden Ratten auf, bevor die Bullen kommen», befahl Mr. Big und folgte seinen Gehilfen in die Bank.

«Was sollen wir jetzt machen, Kumpel?», fragte Papa.

«Wir schlagen zwei Fliegen mit einer Klappe», antwortete Frank.

Papa schaute ihn fragend an.

«Du wirst schon sehen», meinte Frank und zog seinen Vater mit sich.

59

VERKOHLTE WÜRSTCHEN

Ohne es zu merken, hatten Mr. Big und seine Kumpanen die schwere Arbeit für Frank und Papa erledigt. Die beiden konnten nun direkt in die Bank marschieren. Problematisch war nur, dass die Alarmanlage an war und die Polizei jeden Moment da sein würde. Schnell folgten sie dem Pfad der Zerstörung, den die drei Kriminellen auf dem Weg zum Tresorraum in der Bank hinterlassen hatten. Türen waren aus den Angeln gehoben worden, Scheiben zerbrochen und Tastenfelder einge-schlagen.

Dann erschütterte eine **Explosion** das Gebäude. Mörtel rieselte von der Decke, schwarzer Rauch füllte die Luft, und alle Fenster, die nicht bereits eingeschlagen worden waren, zerbarsten. Die beiden duckten sich und hielten sich die Hände vors Gesicht.

«Alles o. k., Kumpel?», stotterte Papa und schnappte nach Luft.

«Ich glaube schon. Lass uns weiter.»

Sie stolperten voran und blieben an einer Wendeltreppe stehen, die nach unten führte.

«Da unten im Keller muss der Tresor liegen», flüsterte Papa.

Die beiden schlichen die Treppe hinab. Der Rauch verzog sich, und Frank und Papa bot sich ein amüsanter Anblick. Die Kriminellen hatten offenbar zu viel **Dynamit** verwendet, um die Tür vom Tresorraum aufzubrechen. Alle drei waren schwarz verkohlt, und Rauch stieg von ihnen auf. Mr. Big, Finger und Däumling sahen aus wie drei verkohlte Würstchen, die zu lange auf dem Grill gelegen hatten.

«Da sind sie!», sagte Finger und deutete mit

seinem langen, rußigen Finger auf Papa und Frank.

Däumling sah verwirrt aus. «Aber wir dachten, ihr seid schon längst im Tresorraum.»

«Tja, da habt ihr euch wohl geirrt! Wir waren die ganze Zeit draußen», sagte Frank grinsend.

«Oh», antwortete Däumling und ließ den Kopf hängen.

Mr. Big wippte unbehaglich in seinen Slippern. Man konnte ihm ansehen, dass es ihm überhaupt nicht gefiel, so hereingelegt zu werden. «Eigentlich seid ihr beide mir gerade in die **Falle** gegangen!», behauptete er.

«Wie das denn, Biggie?», fragte Papa.

«Nun, ähm, weil, also …», stotterte der Mann, **«weil wir das Geld jetzt von euch zurückstehlen,** das wir von der Bank gestohlen haben, und dabei **noch mehr stehlen!** Und ihr zwei Idioten werdet die Schuld kriegen! Finger, Däumling, packt alles ein. **Bis auf den letzten Penny!»**

«Mein Beutel hat jetzt aber ein Loch», meinte Däumling.

«Und meiner hat zwei», sagte Finger.

Ebenso wie ihre Kleidung hatten auch die Geldbeutel durch die Explosion Schaden genommen.

«Na, dann stopft es euch eben in die Taschen!», befahl Mr. Big.

Die beiden Verbrecher schauten nach, was von ihren Taschen übrig war.

«Ich hab gar keine Taschen mehr», antwortete Däumling.

«Ich hab eine, Boss!», meinte Finger. «Oh nein, 'tschuldigung. Hat doch 'n Loch», fügte er hinzu und steckte einen Finger hindurch.

«Sie können sich ja unseren Sack ausleihen», sagte Frank.

«Aber da sind **eine halbe Million Pfund** drin, Kumpel», zischte Papa, sodass nur Frank ihn hören konnte.

«BRING IHN MIR, JUNGE», befahl Big.

Frank machte zwei Schritte vor und reichte Mr. Big den Sack. Der kleine Mann schaute hinein, dann leuchtete sein Gesicht auf.

«Ah, meine Babys. Wie habe ich euch vermisst», sagte er, bevor er den Sack an Finger weiterreichte.

Dann verschwanden die beiden Verbrecher im Tresorraum und **stopften** den

Sack mit Geldbündeln voll. Frank schaute in den Raum.

«Sieh dir all das schöne Geld an, Junge», sagte Big. «Mehr Geld, als du in deinem Leben verdienen kannst. Und du brauchst es nur zu nehmen.»

Franks Augen wurden **groß**.

«Ich weiß, es gefällt dir. Schau nur hin. Damit kannst du dir alles kaufen, was du willst. Alles.»

Frank schien wie **hypnotisiert** zu sein. «Das ist … wunderschön.»

«Genau», antwortete Mr. Big und feuerte Frank noch an. «Geld ist das Schönste, was es gibt.»

«Ich liebe es», sagte Frank. Es sah aus, als leuchte in seinen Augen ein Goldschimmer. **«Ich liebe, liebe, liebe es.»**

«Aber Kumpel», bat Dad. **«Was machst du denn?»**

«Komm mit mir, Junge», fuhr Mr. Big fort. Er streckte Frank die Hand hin. «Nimm deinen rechtmäßigen Platz an meiner Seite ein. Ich werde dir der Vater sein, den du nie hattest. Komm. Zusammen können wir die Welt regieren.»

Frank holte tief Luft. «Das würde mir gefallen», sagte er. «Das würde mir sehr gefallen.»

Sein armer Vater hatte Tränen in den Augen.

«Kumpel – neeeiiin!»

«Es freut mich, dass du zur Vernunft gekommen bist, Junge», sagte Mr. Big und warf Papa einen höhnischen Blick zu.

«Wir wollen gleich anfangen», meinte Frank. Er nahm Mr. Bigs Hand und führte den Mann in den Tresorraum.

«FRANK!», schrie Papa.

Wie in Trance ging Frank immer weiter und weiter hinein.

Mr. Big drehte sich zu Gilbert um und grinste. «Sie haben verloren, kleiner Mann.»

60

WUT

Während Big und seine Männer damit beschäftigt waren, den Sack immer weiter mit Geldscheinen zu füllen, wich Frank langsam aus dem Tresorraum. Als er an der dicken Metalltür vorbei war, flüsterte er. **«Papa! Ich habe sie reinge-legt. Schnell, hilf mir!»**

«Kluger Junge!»

Frank schob die Tür zu, und Papa eilte ihm zu Hilfe. Ge-meinsam drückten sie mit aller Kraft.

Aber Mr. Big merkte etwas. **«DIE TÜR!»**, brüllte er, und er und seine Männer

hasteten hin. Sie rammten ihre Schultern dagegen und schoben mit aller Kraft, um nicht eingesperrt zu werden.

«Ich wusste, du würdest mich nicht im Stich lassen», sagte Papa.

«Niemals!», antwortete Frank.

Mr. Big schob sein Gesicht durch den Türspalt.

«Sie können mir gar nichts, Gilbert», meinte er. «Sie tun mir leid. **Keine Frau. Kein Geld. Kein Bein.** Eigentlich sollten Sie ja bei diesem kleinen ‹Rennunfall› draufgehen.»

«Sie waren dafür verantwortlich?», rief Papa wütend.

«Ich wollte Rita. Und dafür mussten Sie aus dem Weg geräumt werden. **Für immer.»**

«Ich habe den Motor frisiert!», rief Finger.

«Und ich habe Ihre Bremsen durchtrennt!», schrie Däumling.

«Aber Ihr Plan ist nicht aufgegangen», antwortete Papa.

«Denn ich bin immer noch hier!»

«Das stimmt», sagte Mr. Big. «Aber wissen Sie, was? Verkrüppelt gefallen Sie mir viel besser. So konnte ich Sie all die Jahre leiden sehen.»

«JETZT NICHT MEHR!», schrie Papa.

«JETZT SIND SIE DRAN MIT LEIDEN!», schrie Frank.

Die Wut gab ihnen Kraft. Zusammen konnten sie die drei Männer zurückdrängen und die Tür vom Tresorraum zudrücken.

KLONK!

Aber sie konnten sie nicht abschließen!

«Mist!», sagte Papa. «Schau, sie haben das Schloss aus der Tür gesprengt.»

«Wir müssen die Tür irgendwie verklemmen», meinte Frank. «Lass uns das Ding dafür nehmen.»

«Welches Ding?»

«Dein Holzbein!»

«Das kann ich nicht hierlassen!»

«Papa! Wir haben keine Wahl!»

Zögernd schnallte Papa sein Holzbein ab, und

gemeinsam schoben sie es unter das Schloss. Jetzt war die Tür zugesperrt. Schwach hörten sie die drei Verbrecher von innen dagegentrommeln und um Gnade winseln.

«Wir können uns doch einigen.»

«Das war alles Fingers Idee!»

«Däumling hat mich dazu gezwungen.»

Frank und Papa sahen sich grinsend an.

«Siehst du, Papa, jetzt haben wir zwei Fliegen mit einer Klappe geschlagen. Wir haben das Geld zurückgebracht und auch noch die echten Verbrecher eingesperrt.»

«Du bist ein Genie, Kumpel!», rief Papa.

«Danke, Papa.»

«Die Polizei wird sie finden. Bald. Und deshalb müssen wir **jetzt** auch hier weg!»

Er stützte sich auf Franks Schulter, und Frank half ihm, die Treppe hinaufzuhüpfen.

Als sie den Eingang der Bank erreichten, brach gerade der Tag an. In der Ferne **hörten** sie die Polizeisirene.

TATÜ-*TATAA!*
TATÜ-*TATAA!*
TATÜ-*TATAA!*

Schnell eilten sie in der anderen Richtung die Straße entlang.

«So, und jetzt wieder zurück ins Gefängnis mit dir, Papa!», sagte Frank.

KAPITEL 61

DIESER LÄRM!
DIESE LEUTE!

Nachdem Papa den ganzen Weg nach Hause gehüpft war, zog er wieder Tante Flips langes *Blumenkleid* an. Ohne sein Holzbein war das ganz schön schwer für ihn, darum bastelte Frank ihm schnell ein Ersatzbein aus dem alten Plastikmopp aus der Küche. Dann stiegen die beiden in den Bus und fuhren zum **Wrongfoot-Gefängnis**. Der Besuchertag war erst nächste Woche, darum würden sie sich irgendetwas ausdenken müssen, um reinzukommen.

Franks Idee war, dass sie behaupten sollten, sie hätten schlechte Nachrichten für Gilbert Goodie. Sie würden eine Geschichte um einen fernen Verwandten erfinden – einen Cousin oder Onkel oder so was – und behaupten, er sei gestorben und sie müssten Franks Vater die Nachricht persönlich überbringen.

«Wer da?», blaffte Mr. Glubsch durch das winzige Guckfenster in der großen Metalltür des **Wrong-foot-Gefängnisses**.

«Gilbert Goodie ist mein Vater, und ich habe sehr traurige Nachrichten für ihn», schluchzte Frank. Er hatte sich selbst zum Weinen gebracht, indem er eine rohe Zwiebel in einem Taschentuch versteckt hatte und sich damit die Augen tupfte.

Papa, der wieder als Tante Flip ver-kleidet war, legte einen tröstenden Arm um Franks Schultern.

«Oh, Sie sind das!», rief Glubsch. «Sie waren doch erst gestern da. Die nächsten zwei

Wochen haben wir keinen Besuchertag. **Was für traurige** Nachrichten sind das denn?», wollte der Gefängniswächter wissen. **«Sie sollten wirklich, wirklich zum Heulen traurig sein.»**

«Ich weiß nicht, wie ich es sagen soll, ohne zusammenzubrechen, aber …», begann Frank.

«RAUS DAMIT, JUNGE!», befahl Mr. Glubsch.

«… sein Onkel Keith ist gestorben», schluchzte Papa.

«Tot?», fragte Mr. Glubsch.

«Ja», antwortete Papa.

«Total tot?»

«Ja. Einhundertprozentig, komplett, niemals-wiederlebendig-tot.»

«Ich sag's ihm!», sagte Mr. Glubsch und schlug die Klappe vor das Guckfenster.

Frank und sein Vater sahen sich erschrocken an. Das hatten sie nicht erwartet.

«WIR MÜSSEN ES GILBERT UNBEDINGT SELBST SAGEN!», schrie Papa durch die Tür.

«WIESO?»», brüllte Mr. Glubsch von innen zurück.

«Äh, weil wir nicht möchten, dass Sie uns die Überraschung verderben», antwortete Frank.

Dad starrte seinen Sohn an, als wollte er sagen: «Was hast du jetzt vor?!»

«Überraschung?», wiederholte **Glubsch**.

«Ja. Er hat Onkel Keith immer gehasst!», antwortete Frank.

Man hörte Schlüssel klappern, und dann öffnete sich die große Metalltür.

KLONK!

«Sie haben zwei Minunten. Und ich behalte Sie im Auge», sagte der Gefängniswärter, auch wenn er nicht sagte, in welchem Auge das sein würde.

Mr. Glubsch führte die zwei hinauf in einen kleinen grauen Raum und sagte, sie sollten hier warten. Einen Augenblick später führte er Tante Flip herein, die als Papa verkleidet war. Die arme Frau sah nach der Nacht in der Zelle total durcheinander aus.

«Die haben Neuigkeiten für Sie!», blaffte der Wärter. «Ihr Onkel Keith ist **abgekratzt**.»

«Wer?», fragte Tante Flip.

«Du weißt schon – Onkel Keith», sagte Papa und zwinkerte Flip zu. Hoffentlich merkte sie, dass die Geschichte nur ein Trick war. «Dein Onkel, den du so gut gekannt hast.»

«Oh, der alte Onkel Keith! Ja, natürlich kenne ich den!», rief Tante Flip. «Wie geht's ihm?»

«Er ist tot», antwortete Frank.

«TOT? NEEEEIIIINNNN!»,

schrie Tante Flip und brach in Tränen aus.

Der Gefängniswächter beobachtete alles wie ein Habicht. Ein einäugiger Habicht.

«Du hast gesagt, dein Vater hätte Onkel Keith immer gehasst», meinte **Mr. Glubsch**.

«Ja, nun, hassen ist vielleicht zu viel gesagt, aber du hast ihn nie wirklich gemocht, Papa, weißt du noch?», sagte Frank.

Endlich begriff Tante Flip, und sie brüllte vor künstlichem Lachen. **«Ha! Ha! Onkel Keith hat den Löffel abgegeben! Jippieh!»**

Mr. Glubsch schüttelte den Kopf. Diese seltsame Familie verwirrte ihn. «Gut, jetzt verschwindet aus meinem Gefängnis, ihr beiden Irren», bellte er.

«Können wir einen Augenblick für uns haben, um zu trauern?», fragte Papa alias Tante Flip.

«Trauern?», wiederholte Mr. Glubsch.

«Ich meine, feiern», sagte Papa.

Der Gefängniswächter seufzte. «Na gut, na gut, ich gebe euch eine Minute, aber keine Sekunde länger!» Und damit knallte er die Tür hinter sich zu.

KNALL!

«Wir müssen schnell unsere Kleider tauschen», sagte Papa.

«Ja, ich kann es kaum erwarten, hier rauszukommen», antwortete Tante Flip.

«Hat dir die Nacht im Gefängnis nicht gefallen, Tante Flip?», fragte Frank.

Tante Flip sah ihn an, als wäre er verrückt geworden.

«Dieser Lärm! Diese Leute!», rief sie. «Ich musste mir eine Zelle mit sechs kriminellen Brüdern teilen und habe nicht eine Sekunde geschlafen. Sie haben mich alle komisch angestarrt. Ich dachte schon, dass sie es auf mich abgesehen hätten. Dass sie mich in der Nacht vielleicht umbringen wollten. Darum fing ich an, ein paar Gedichte aufzusagen, über die Freuden von Gartencentern, und da schliefen sie alle sofort ein.»

«Das kann ich mir vorstellen», murmelte Frank.

«Also, Junge, schließ die Augen, während wir uns umziehen.»

Frank tat es.

Nach ein paar Augenblicken gab Tante Flip bekannt: «Gut, du kannst sie wieder aufmachen!»

Frank öffnete die Augen und sah erleichtert, dass Papa wieder Papa war und Tante Flip wieder Tante Flip.

«Ich bin wieder ich, dem Himmel sei Dank!», sagte sie und hob die Hände.

KLICK!

In diesem Moment marschierte Mr. Glubsch wieder herein. «So, jetzt habt ihr genug geweint oder gelacht oder was für seltsame Sachen ihr in eurer Familie tut, wenn jemand abnippelt. **Ihr zwei: RAUS!**»

Tante Flip und Frank wurden aus dem Zimmer geführt. An der Tür drehte Frank sich noch mal um und lächelte seinem Vater zu.

«RAUS!», brüllte Mr. Glubsch.

KAPITEL 62

ERWISCHT, GANGSTER!

Frank fiel es nicht leicht, seinen Vater im Gefängnis zu lassen, während er und Tante Flip nach Hause fuhren. Aber bestimmt würde es jetzt nicht mehr lange dauern, bis alle Welt erfuhr, was in der Bank passiert war.

Und wirklich, als er am nächsten Morgen in Rajs Kiosk kam, gab es gute Neuigkeiten.

DING!

«Frank! Hast du schon die Zeitungen von heute gesehen? **SCHAU!** Die Polizei hat endlich diese furchtbaren Verbrecher gefangen, die die Stadt seit Jahren terrorisieren!»

«Zeig her, Raj!»

Begierig las Frank die Schlagzeilen.

«Jetzt müssen sie meinen Papa aus dem Gefängnis lassen!», rief der Junge.

«Wieso?», fragte Raj.

«Diese Männer müssen die Verbrecher sein!»

Der Kioskbesitzer überlegte einen Moment. «Nun, dein Vater kann schlecht am Überfall letzte Nacht beteiligt gewesen sein. Er hat das perfekte

Alibi: Er war die ganze Zeit im Gefängnis!»

«Natürlich!», rief der Junge, denn er wollte sich nicht verplappern. «Und das Geld vom Raub davor wurde ja auch wieder in den Safe gelegt!»

Raj sah ihn überrascht an. «Woher weißt du das?»

«Was?», fragte Frank.

«Woher weißt du das? Ich habe alle Zeitungen gelesen. Aber davon stand nichts da.»

Frank wurde nervös. «Ich … ähm, also, äh, ich …»

Raj riss die Augen auf. «Junger Mann, du willst mir doch nicht sagen, dass du etwas mit der Sache zu tun hattest?»

Frank fand, es sei besser, seinen Masterplan für sich zu behalten. «Raj, ich muss jetzt los.»

«Wohin?»

«Zum Gericht! Ich muss versuchen, meinen Papa aus dem Gefängnis zu holen!»

«Das muss ich sehen!», antwortete der Kioskbesitzer, und die beiden eilten aus dem Laden.

DING!

KAPITEL

63

FALLOBST

An diesem Nachmittag drängelten sich Tante Flip und Frank durch die große Menschenmenge vor dem Gericht und fanden gerade noch zwei Plätze oben auf der Zuschauertribüne. Es war **rammelvoll**, denn alle Leute wollten sehen, wie Mr. Big und seine Gehilfen endlich ins Gefängnis wanderten. Viele Journalisten waren da, die ihre Notizblöcke und Stifte festhielten und alles aufschreiben wollten, was passierte, damit es morgen auf der Titelseite der Zeitungen stand. Doch vor allem waren die Bewohner der Stadt hier, die die Bande jahrelang terrorisiert hatte. Aufgeregt riefen sie sich zu:

«Endlich haben sie den kleinen Bösewicht!»

«Ich hoffe, dieser Kerl wird für **immer** eingesperrt!»

«SEINE BEIDEN HYÄNEN SIND GENAUSO SCHLIMM!»

«Wer immer das geschafft hat, verdient einen Orden!»

«Das ist ein Feiertag für unsere Stadt!»

Tante Flip und Frank lächelten sich verstohlen zu.

Alle im Gerichtssaal erhoben sich, als Richter Eisern eintrat. Er setzte sich auf seinen hohen Stuhl und schlug mit dem Hammer auf den Tisch vor ihm.

«Führt die Angeklagten herein.»

Mr. Big, Finger und Däumling wurden von den Polizisten hereingeführt. Ihre Hände lagen in Handschellen, und sie trugen immer noch ihre rußigen Kleider von gestern Nacht. Bei ihrem Anblick brach im Saal ein Tumult aus. Die Anwohner hatten verfaultes Fallobst unter ihren Jacken hereingeschmuggelt, mit dem sie jetzt die Verbrecher bewarfen.

SAUS!

«Nehmt das!», schrie die alte Dame aus der Kirche mit dem Hörgerät und warf eine ganze Wassermelone.

PLATSCH!

Sie zerplatzte auf Mr. Bigs Kopf, sodass der Saft nur so herumspritzte.

Ein kleiner Mann mit Halskrause warf eine Ananas, die Däumling an der Nase traf.

BOING!

«AU!», schrie der Verbrechergeselle. **«GUTEN APPETIT!»**, rief der kleine Mann, und die Menschen im Saal jubelten ihm zu.

«HURRA!»

Falls Finger sich schon freute, dass er der Einzige war, der nichts abbekommen hatte, so hatte er sich zu früh gefreut. Eine Dame im Rollstuhl zog ein Katapult heraus und feuerte eine ganze Tüte Tomaten auf ihn ab. Eine nach der anderen explodierte in Fingers Gesicht.

PLATSCH!!
PLATSCH!!
PLATSCH!!

«AUFHÖREN!», rief Finger heulend.

Der Richter, der alles wie gebannt verfolgt hatte, griff endlich nach seinem Hammer.

BAM! BAM! BAM!
«RUHE IM SAAL!»

Sofort wurde alles still.

«Keiner wirft in meinem Gericht mit verfaultem Obst», befahl er.

«Jemand hat gerade mit Tomaten geworfen. Das ist doch Gemüse, oder nicht?», fragte Däumling.

«Nein, Tomaten sind Obst», japste Finger und wischte sich den Tomatensaft vom Gesicht.

«Ich bin ziemlich sicher, dass es Gemüse ist.»

«NEIN! TOMATEN SIND OBST, DU IGNORANT!»

«Stimmt das?», fragte Däumling die Zuschauer.

«JA!», brüllten alle.

«Oh, man lernt wirklich jeden Tag was Neues», sinnierte Däumling.

«Also, würde der Angeklagte jetzt bitte ...», sagte der Richter, doch in diesem Moment **sauste** ein Ei durch die Luft und landete auf Mr. Bigs Nase.

KRACK!

«Au!», schrie der Verbrecherboss.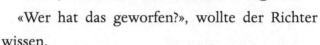

«Wer hat das geworfen?», wollte der Richter wissen.

Niemand sagte etwas.

«Ich habe gesagt ‹Wer hat das geworfen?›»

Wieder antwortete niemand.

«Diese Verhandlung wird erst beginnen, wenn der Werfer sich meldet.»

Schließlich hob Pastorin Judith die Hand.

«SIE, PASTORIN?!», rief der Richter.

«Tut mir leid, Euer Ehren», antwortete die Pastorin. «Aber Sie haben gesagt, es soll kein verfaultes Obst mehr geworfen werden. Darum dachte ich, ein verfaultes Ei würde gehen.»

Schallendes Gelächter füllte den Saal.

«HA! HA! HA! HA! HA! HA! HA! HA! HA! HA! HA! HA! HA! HA! HA! HA! HA! HA! HA! HA! HA! HA! HA! HA! HA!»

«Entschuldigen Sie bitte. Ich habe einen verfaulten Kohlkopf mitgebracht», mischte sich Raj ein. «Das ist ein Gemüse. Ist es in Ordnung, wenn ich den werfe, Euer Ehren?»

«NEIN!» , brüllte der Richter.

«Niemand wirft irgendwelche Nahrungs-mittel!»

«Verstanden. Falls jemand den verfaulten Kohlkopf kaufen möchte, akzeptiere ich jedes Gebot, das höher ist als 1 Pence.»

«RUHE!»

«Pssst!», sagte Raj zu den Umstehenden, dabei war er der Einzige, der redete.

«Würden die Angeklagten sich bitte erheben?», befahl der Richter.

Die drei Männer standen auf.

«Mr. Big, ich habe gesagt ‹Bitte erheben!›»

Der kleine Mann runzelte die Stirn.

«Ich stehe doch, Euer Ehren.»

«Entschuldigung», antwortete der Richter. «Also, Sie drei sind des Bankraubs angeklagt. Bekennen Sie sich schuldig oder nicht schuldig?»

Däumling hob die Hand. «Was soll man sagen, wenn man es gemacht hat, aber niemand wissen soll, dass man es gemacht hat?»

«Nicht schuldig», antwortete der Richter.

«Dann nicht schuldig», sagte Däumling.

Mr. Big und Finger starrten Däumling an. Er hatte sie alle drei reingeritten.

KAPITEL 64

DIE WAHRHEIT

Natürlich dauerte es nicht lange, bis die Jury zu einem Urteil kam.

«SCHULDIG!», rief der Sprecher.

«Ich verurteile Sie alle zu einer lebenslangen Haftstrafe!», gab der Richter bekannt und ließ seinen Hammer fallen.

Die Zuschauer im Gerichtssaal jubelten auf.

«HURRA!»

Ein verfaulter Kohlkopf flog durch die Luft …

SAUS!

… und traf Mr. Big am Kinn.

MATSCH!

«Uff!», stöhnte der Mann.

«Ist mir aus der Hand gerutscht!», rief Raj.

«Abführen!», befahl der Richter.

Auf dem Weg hinaus aus dem Saal funkelten die drei Frank an.

«Deinem Papa wird das noch leidtun», rief Mr. Big.

«Von wem reden Sie da?», wollte Richter Eisern wissen.

«Darf ich, Euer Ehren?», fragte Frank höflich und hob die Hand. «Mr. Big spricht von meinem Vater, Gilbert Goodie. Sie haben ihn zu zehn Jahren Gefängnis verurteilt, für den ersten Bankraub. Ein Raub, zu dem diese drei Männer ihn gezwungen haben.»

«Wirklich?»

«Ja, Euer Ehren. Die Männer haben gedroht, mir – Gilberts Sohn – weh zu tun, wenn er das Fluchtauto nicht fährt.»

«BUUUUUUUH!», schrien die Zuschauer. «WAS FÜR EINE SCHANDE!»

Der Richter knallte seinen Hammer nieder. **«RUHE!** Wo ist dein Vater?»

«Im Gefängnis, Euer Ehren», antwortete Frank.

«Ach ja, natürlich, ich Dummerjan», sagte der Richter. Dann rief er einem seiner Angestellten zu: **«Bringen Sie Gilbert Goodie sofort in den Saal!»**

*

Innerhalb einer Stunde hatte man Dad aus dem **Wrongfoot-Gefängnis** geholt und hinten in einem Gefängniswagen zum Gericht gebracht. Nun saß er auf der Anklagebank, wie vorher die drei Bandenmitglieder.

«Mr. Goodie, es ist bewiesen, dass Sie beim ersten Bankraub den Fluchtwagen gefahren haben», begann der Richter.

«Das ist korrekt, Euer Ehren», antwortete Papa.

«Aber Ihr Sohn hat uns erklärt, dass Mr. Big und seine Bande gedroht haben, ihm etwas anzutun, wenn Sie Ihre Aufgabe nicht erfüllen.»

«Da hat er die Wahrheit gesagt, Sir. Und mein Junge ist das *Kostbarste* auf der Welt für mich. **Er ist alles, was ich habe.»**

Papa lächelte seinem Sohn auf der Tribüne zu.

«Und es ist eindeutig, dass Sie nicht am zweiten Raub beteiligt waren.»

«Kein bisschen. Wie denn auch, Euer Ehren? Ich war ja im Gefängnis eingesperrt.»

«Dann würde ich jetzt gern einen Wärter vom **Wrongfoot-Gefängnis** als Zeuge befragen.»

«HOLT MR. GLUBSCH!», brüllte einer der Angestellten.

Die Türen schwangen auf, und Mr. Glubsch nahm im Zeugenstand Platz.

«Ja, ich kann bestätigen, dass Mr. Goodie die ganze Zeit im Gefängnis gewesen ist, Euer Ehren», sagte der Wärter. **«Niemand und nichts kommt an mir vorbei.»**

«Danke, Mr. Glubsch», antwortete der Richter. «Nun, Mr. Goodie, das Geld vom ersten Bankraub, an dem Sie gezwungenermaßen teilgenommen haben, wurde zurückgebracht. Und es ist eindeutig, dass Sie nicht am zweiten Überfall beteiligt gewesen sein konnten, da Sie zur fraglichen Zeit im **Gefängnis** saßen. Darum habe ich gute Neuigkeiten für Sie, Mr. Goodie …»

Papa und Frank schauten sich an. Ihr Plan hatte funktioniert! Doch noch bevor der Richter zu Ende sprechen konnte, eilte **Wachtmeister** Spötter mit einem länglichen Paket in den Gerichtssaal.

«So, so, so …», gab der Polizist bekannt. «Gilbert Goodie scheint alle so richtig schön reingelegt zu haben.»

«WAS SOLL DIESE UNTERBRECHUNG BEDEUTEN, WACHTMEISTER?!», donnerte der Richter.

«Lassen Sie diesen Mann nicht einfach so frei», sagte Spötter grinsend. «Er hat sehr wohl beim Überfall letzte Nacht mitgemacht, und ich kann es beweisen!»

«WIE?»

«Er hat etwas am Ort des Verbrechens zurückgelassen?»

«WAS?»

«Nun, wie es heißt, kann man auf einem Bein nicht stehen, doch Mr. Goodie konnte es offenbar.»

Papa rutschte unruhig auf seinem Stuhl hin und her. Frank konnte kaum atmen. Was für eine Qual!

«Was zum Teufel wollen Sie damit sagen, Sie seltsamer kleiner Mann?», fragte der Richter.

«Sein fataler Fehler wird ihn noch Arme und Beine kosten. Nun, zumindest ein Bein.»

«SCHLUSS MIT DEN SPRÜCHEN! HALTEN SIE JETZT DEN MUND!»,

brüllte der Richter.

«Nein, ich werde nicht den Mund halten! Denn der Mann, den Sie gerade begnadigen wollten, hat das hier am Tatort zurückgelassen!»

Und damit riss Spötter das Paket auf und hielt Papas Holzbein in die Höhe.

Alle im Saal sahen erschrocken drein.

KEUCH!

Jetzt war Papa erledigt.

KAPITEL

FRANKS AUFTRITT

Könnte ich bitte ein paar Worte zur Verteidigung meines Vaters sagen, Euer Ehren?», fragte Frank.

«Das ist eigentlich nicht üblich, junger Mann», antwortete der Richter.

«Ich weiß, dass ich nur ein Kind bin, aber ich glaube, ich habe etwas sehr Wichtiges zu sagen.»

Von den Zuschauern im Saal kam lauter Zuspruch:

«LASST DEN JUNGEN SPRECHEN!»

«GEBT IHM EINE CHANCE!»

«WIR WOLLEN HÖREN, WAS ER ZU SAGEN HAT!»

«DAS IST JA BESSER ALS IM FERNSEHEN!»

«KÖNNT IHR ALLE MAL KURZ WARTEN, ICH MUSS MAL PINKELN!»

Der Richter gab nach. «Ja, ja, also gut, Junge. Komm nach vorn und sag, was du zu sagen hast. Aber halt es bitte kurz.»

«Danke, Euer Ehren», sagte Frank, und dann lief er die Treppe hinunter. Als er neben seinem Vater stand, begann er zu erklären: «Als mein Vater we-gen Bankraubs zu zehn Jahren Gefängnis verurteilt wurde, haben Sie, Euer Ehren, ihn als ‹schlechten Vater› bezeichnet. Als einen *Banditen-Papa.* Wür-de ein **schlechter Va-ter** für seinen Sohn sor-gen wollen? Würde ein

schlechter Vater sein letztes Geld zusammen-
kratzen, um seinem Sohn ein Weihnachtsgeschenk
zu kaufen? Würde ein **schlechter Vater** sich darum grämen, dass sein Sohn in kaputten Schuhen
zur Schule gehen muss?»

Im Gerichtssaal wurde es still.

«Nein. So ist kein **schlechter Vater**. Mein Vater hat mich allein großgezogen, nachdem meine
Mutter uns verlassen hat. Er war gezwungen, beim
ersten Bankraub das Fluchtauto zu fahren. Mr. Big
und seine Bande haben **gedroht**, mir weh zu tun,
wenn er ihnen nicht hundertmal so viel Geld zu-
rückzahlte, wie er sich geliehen hatte. Das konnte
er nicht. Mein Vater musste tun, was diese bösen
Männer ihm sagten.»

Raj heulte bereits wie ein Schlosshund…

«WAAAAAAA!»

… und dann schnäuzte er sich so laut wie ein
Elefant.

TRÖÖÖT!

«Hätten ich und die Jury all das gewusst, dann
wäre der Fall beim ersten Mal vielleicht anders
ausgegangen», sagte der Richter. «Sehr anders.»

«Danke, Euer Ehren. Aber mein Vater hat Mr. Big und seine Bande nicht verraten, weil sie gesagt haben, sonst würden sie mir etwas antun.»

«Ich bin selbst Vater und Großvater, und ich bin **schockiert!**», antwortete Richter Eisern.

«Als Papa ins Gefängnis musste, habe ich einen Plan geschmiedet, wie er für eine Nacht entkommen konnte. Ich dachte, im Gefängnis zu sein, wäre das perfekte Alibi. Zusammen haben wir das ganze gestohlene Geld wieder zurück zur Bank gebracht. Bis auf den letzten Penny.»

Mr. Glubsch riss die Augen auf. Das konnte doch nicht wahr sein!

«Als wir das Geld zurückbrachten, sind Mr. Big und seine Männer uns gefolgt. Also haben wir getan, was der Polizei dieser Stadt nie gelungen ist: Wir haben die Verbrecher auf frischer Tat geschnappt.»

Alle Blicke wandten sich zu Wachtmeister Spötter, der aussah, als würde er am liebsten im Boden versinken.

«Das Bein, das Sergeant Spötter da herumschwenkt, haben wir benutzt, um Mr. Big und seine

Gehilfen im Tresorraum einzusperren. Mein Vater hat sein eigenes Bein geopfert – na ja, sein Holzbein –, damit diese Kriminellen, die die Stadt schon so lange terrorisieren, endlich gefasst werden konnten. Er musste den ganzen Rückweg über hüpfen.»

Eine Welle des Mitleids ergriff die Zuschauer.

«Ooooooh!»

«Im Moment geht er auf einem alten Plastikmopp.»

Papa krempelte die Hose auf, um seinen deprimierenden Beinersatz zu zeigen.

Die Zuschauer waren noch ergriffener.

«OOOO-Ooooooh!»

Pastorin Judith und Tante Flip waren in Tränen aufgelöst. Sie saßen jetzt nebeneinander und teilten sich ein Stofftaschentuch. Sie wirkten ein wenig überrascht, als sie beide feststellten, dass sie sich dabei im Arm hielten.

431

«Mein Vater ist also kein **schlechter Vater**. Er ist ein **guter Vater**. Ein **sehr guter Vater**. Er ist sogar der beste Vater auf der Welt. Und ich bin sehr stolz, dass er mein Papa ist.»

Frank schaute seinen Vater an. Beide hatten Tränen in den Augen. Es war schwer für Frank gewesen, die richtigen Worte zu finden, aber für seinen Vater war es noch schwerer gewesen, sie zu hören. Denn die Menschen sagen so selten, was sie in ihren Herzen fühlen.

Alle Augen wandten sich an Richter Eisern.

«Ich habe mit großem Interesse zugehört, was du zu sagen hattest. Nichts kann die Tatsache ändern, dass dein Vater das Fluchtauto bei einem Banküberfall gefahren hat. Doch es gibt Umstände, die diesem Gericht beim ersten Verfahren nicht bekannt waren. Umstände, die diesen Fall in ganz anderem Licht erscheinen lassen. Dein Vater hat zwei Monate im Gefängnis gesessen. Das ist genug. Heute wird ihn dieses Gericht begnadigen. Von diesem Moment an ist er ein **FREIER MANN!**»

Die Zuschauer jubelten und applaudierten begeistert. Nur **Wachtmeister** Spötter stampfte mit dem Fuß auf und stürmte hinaus.

Papa breitete die Arme aus und umarmte seinen Sohn. Er hob ihn hoch und wirbelte ihn herum. Und wollte ihn gar nicht mehr loslassen.

«Ich liebe dich, Kumpel», flüsterte er Frank ins Ohr.

«Und ich liebe dich.»

ALLE PLÄTZE BESETZT

Ich liebe dich.»

«Und ich liebe dich.»

Es war sechs Monate später, und Frank und sein Vater saßen in der Kirche und hörten, wie zwei andere Menschen diese drei Worte zueinander sagten. Es war die Hochzeit von Pastorin Judith und Tante Flip. Das glückliche Paar schaute sich in die Augen und küsste sich.

«Mein erster Kuss!», rief Tante Flip.

«Und ganz sicher nicht dein letzter», sagte Judith.

Die Hochzeitsgäste klatschten und jubelten. Endlich war die Kirche einmal richtig voll.

Raj saß in der ersten Reihe und schluchzte wieder wie ein Schlosshund.

Auch das Kirchendach leckte wieder. Regenwasser tropfte auf die beiden Bräute, das störte sie aber nicht weiter. Beide strahlten wie noch nie.

«Ich habe ein Gedicht geschrieben!», gab Tante Flip bekannt.

«Es heißt: ‹Meine wunderschöne Judith›:

> «Ich war niemals offen,
>
> bis ich Judith getroffen;
>
> Sie machte mir klar,
>
> wer ich eigentlich war.
>
> Nun bin ich verliebt,
>
> dass es so was noch gibt!
>
> Mein Herz ist wie befreit,
>
> seit wir sind zu zweit.»

Die Hochzeitsgäste applaudierten begeistert.

«Das war gar nicht so schlecht», meinte Papa.

«Ich nehme alles zurück!», sagte Frank.

Tante Flip war überwältigt von der Reaktion der Menge.

«Danke, danke. Ich habe noch siebzehn weitere geschrieben», sagte sie.

«Die sparen wir uns für einen anderen Tag auf», sagte Judith schnell. Sie lächelte ihrer Frau zu. «Nun, wie ihr alle sehen könnt, muss das Kirchendach dringend repariert werden, also verzichten wir auf Hochzeitsgeschenke. Stattdessen werden wir für das Dach sammeln. Wenn ihr also ein paar Münzen übrig habt, dann legt sie bitte in die Schale, wenn sie bei euch vorbeikommt.»

«Hast du Geld dabei, Papa?», fragte Frank.

Papa krempelte sein Hosenbein auf.

«Was machst du da?»

«Das wirst du gleich sehen.»

Er schob ein Stück Holz an seinem Holzbein zur Seite. Darunter kam ein Geheimfach zum Vorschein. Es war vollgestopft mit frischen Fünfzig-Pfund-Noten.

«Woher hast du die denn?», fragte Frank.

«Aus Mr. Bigs Safe natürlich!»

«Aber du hast gesagt –»

«Ich weiß, Kumpel. Tut mir leid. Ich habe ein Bündel Banknoten rausgenommen, als du nicht hingeschaut hast. Und es in meinem Bein versteckt. Es ist genug, um das Kirchendach zu reparieren, und natürlich bleibt dann noch ein winziger Rest für uns übrig!»

«Schlechter Vater!», witzelte Frank.

«Guter Vater!», antwortete Papa.

«Gib es mir.»

Papa gab Frank das Geld, und Frank betrachtete den Stapel Fünzig-Pfund-Noten. Das Geld war nicht schön. Es war hässlich, zumindest brachte es Leute dazu, hässliche Dinge zu tun. Als die Schale für die Kollekte ihre Reihe erreicht hatte, warf Frank das gesamte Geld hinein und reichte die Schale weiter.

«Kumpel!», rief Papa. «Was machst du da?»

«Wir brauchen das nicht, Papa. Es hat uns nur Ärger eingebrockt.»

«Aber ...»

«Kein Aber. Das wird uns nicht glücklich machen.»

«Ich schätze, du hast recht, Kumpel», sagte Papa, während er der Kollekteschale sehnsüchtig hinterherschaute.

DING DONG DING DONG!
DING DONG DING DONG!

Die Glocken verkündeten das Ende des Hochzeitsgottesdienstes.

Als die Gäste aus der Kirche kamen, staunte Frank nicht schlecht, als er einen Mini, bemalt mit der englischen Fahne, davor stehen sah.

«QUEENIE?», sagte er. «Das kann doch nicht sein! Der Kran hat sie doch plattgemacht.»

«Das ist **QUEENIE II!»**, antwortete Papa. «Ich habe alles von ihr gerettet, was zu retten war, und dann ein paar Sachen vom Schrottplatz geholt. Ihr Herz ist immer noch dasselbe.»

«Wieso hast du mir nichts davon erzählt?»

«Ich wollte das Hochzeitspaar damit überraschen.»

«Oh, vielen vielen Dank, Gilbert!», rief Pastorin Judith.

«Was für ein wunderbares Fahrzeug für unsere Flitterwochen! **Danke, danke, danke!**», sagte Tante Flip. «Das lässt mich beinahe vergessen, dass ich für dich eine Nacht im Gefängnis gesessen habe!»

«'tschuldigung noch mal», sagte Frank.

«Wer will fahren?», fragte Dad und klimperte mit den Schlüsseln.

«Ich fahre!», sagte Tante Flip.

«Nein, nein, ich fahre!», sagte Pastorin Judith.

«Ihr erster Ehestreit!», sagte Raj, während er eine Art Konfetti über sie warf. «Das ging ja schnell!»

Tante Flip pickte die Schnipsel aus ihren Haaren. «Was ist das für ein Zeug, Raj?»

«Ach, ich hatte noch ein paar abgelaufene *MINI-MARSHMALLOWS*, darum dachte ich, die könnte ich gut dafür benutzen.»

439

«Danke, Raj», antwortete Pastorin Judith leicht sarkastisch und pflückte die klebrigen Bälle aus ihren Haaren. «Wir können die ja später essen.»

«Das würde ich lassen», meinte der Kioskbesitzer. «Sie waren schon **SCHIMMELIG.**»

«Iiiieh!»

Die Menge winkte, als das Auto die Straße *hinunterschoss.*

WRROOAM!

«Vorsichtig! Ich will sie heil wiederhaben!», schrie Papa ihnen nach.

«Du willst doch keine Rennen mit ihr fahren?», fragte Frank.

«Nein, aber du, Kumpel.»

«Ich?»

«Ja! Wenn du willst. Du bist schon ein ziemlich guter Fahrer.»

«Danke, Papa.»

«Und ich kann dir alles beibringen, was ich weiß.»

Frank lächelte. **«Wir sind ein gutes Team, Papa.»**

«Das sind wir wirklich, Kumpel.»

Sie gingen von der Kirche weg.

«Deine Mutter hat mir einen Brief geschrieben», fing Papa an.

«Ach ja?», antwortete Frank.

«Sie möchte nächste Woche mal bei uns vorbeikommen. Bloß auf eine Tasse Tee. Schauen, wie es dir geht. Was meinst du?»

Frank dachte nach. «Ja. Eine Tasse Tee. Das ist ein guter Anfang, finde ich.»

«Ein Neuanfang», sagte Papa.

«Wir müssen sie allerdings bitten, einen Teebeutel mitzubringen», witzelte Frank.

«Und Milch.»

«Und Zucker.»

«Und heißes Wasser.»

«Abgesehen davon haben wir alles, was wir brauchen, um eine perfekte Tasse Tee zuzubereiten.»

WÜNSCHE

Als Frank und sein Vater durch den Park zurück zu ihrer Wohnung gingen, kamen sie auch am Wunschbrunnen vorbei. Papa suchte in seiner Hosentasche nach einer Münze. Er fand einen Penny.

«Das ist alles, was ich habe, Kumpel», sagte Papa. «Willst du dir was wünschen? So wie früher?»

Er hielt Frank die Hand mit der Münze hin.

Frank schaute sie an.

«Ich brauche mir nichts zu wünschen.»

«Wieso nicht?»

«Ich wüsste nicht, was. Alles, was ich je wollte oder brauchte, warst du. Meinen Papa.»

«Du bist mein bester Kumpel, Sohn.»

«Und du bist mein bester Kumpel, Papa. Für immer. Jetzt komm.»

«Wohin wollen wir?»

«Zu Raj!», rief Frank. «Wir haben einen ganzen Penny zu verprassen!»

«Wir sollten vielleicht nicht alles auf einmal ausgeben.»

Die beiden grinsten sich an und gaben sich einen ganz festen *Knuddler*. Und dann gingen sie Arm in Arm davon.

Sie hatten vielleicht nur einen Penny in der Tasche, doch die Herzen voller Gold.

© Charlie Clift

David Walliams ist der erfolgreichste britische Kinderbuchautor der letzten Jahre und gilt als würdiger Nachfolger von Roald Dahl. In England kennt ihn jedes Kind. Wenn er nicht gerade Kinderbücher schreibt, schwimmt er schon mal für einen guten Zweck 225 Kilometer die Themse hinab oder durch den Ärmelkanal. Außerdem spielte er in der englischen Comedyserie «Little Britain» mit und sitzt in der Jury von «Britain's Got Talent».